Azul corvo

Adriana Lisboa

Azul corvo

1ª reimpressão

Copyright © 2010 by Adriana Lisboa

Grafia atualizada segundo o Acordo Ortográfico da Língua Portuguesa de 1990, que entrou em vigor no Brasil em 2009.

Capa
Marianne Lépine

Imagem de capa
Tom Murphy/ National Geographic/ Getty Images

Revisão
Ana Kronemberger
Raquel Correa
Ana Grillo

cip-Brasil. Catalogação-na-fonte
Sindicato Nacional dos Editores de Livros, rj

L75s
    Lisboa, Adriana
        Azul corvo / Adriana Lisboa. – 1ª ed. – Rio de Janeiro: Objetiva, 2014.

        ISBN 978-85-7962-321-9

        1. Ficção brasileira. i. Título.

	CDD:869.93
14-13540	CDU:821.134.3(81)-3

[2021]
Todos os direitos desta edição reservados à
EDITORA SCHWARCZ S.A.
Praça Floriano, 19, sala 3001 — Cinelândia
20031-050 — Rio de Janeiro — rj
Telefone: (21) 3993-7510
www.companhiadasletras.com.br
www.blogdacompanhia.com.br
facebook.com/editora.alfaguara
instagram.com/editora_alfaguara
twitter.com/alfaguara_br

Azul corvo

OBRIGADA

À Universidade do Novo México, sobretudo ao prof. David Richard Jones, e à Universidade do Texas em Austin, sobretudo à prof^a Sonia Roncador. Pela casa fora de casa e pela ajuda com o trabalho, a Leila Lehnen, Jeremy Lehnen, Malcolm McNee e Erô Sturião Silva. Também a Taís Morais, Cristina Brayner e Giulia Gurevitz. E à minha agente Nicole Witt.

ao Paulo

somos todos estrangeiros
nesta cidade
neste corpo que acorda

HEITOR FERRAZ

Sumário

Periplaneta americana	15
Crotalus atrox	35
Dentro da barra tem uma baía	57
Ursus arctos horribilis	81
Peixes	109
May I pet your dog?	127
O lobo do homem	149
Corvus corax, Corvus brachyrhynchos	171
Las Animas	193
Camino sin nombre	207
Redondo Road	225
Sucuri	239
Vista del mundo	251
Canis latrans	271
Jay Street	287

Periplaneta americana

O ano começou em julho. O lugar era estranho. O suor corria por dentro, por trás da pele – eu suava e meu corpo continuava seco. Era como se o ar fosse duro, sólido, um ar de pedra. Eu bebia um copo d'água depois do outro até sentir a barriga estufada e pesada mas era sempre isso, o suor seco e o ar duro e o sol com um ferrão em cada raio. Não havia nenhuma brisa, nenhum hálito que viesse me aliviar um pouco entrando pelas frestas da blusa, levantando a barra da saia ou sacudindo meu cabelo com promessas de salvação.

Em compensação, eu nunca via baratas.

Barata americana: *Periplaneta americana*. Li certa vez que elas têm a capacidade de se autor-regenerar, dependendo da gravidade da injúria. Eu as conhecia intimamente, de convívio e de fama (as únicas capazes de sobreviver a uma hecatombe nuclear etc.), de encontros-surpresa na cozinha e no hall do elevador de serviço. Em Copacabana, elas estavam em toda parte. Mas ali eu não via baratas. Era até possível que elas existissem, e conseguissem tolerar a constante falta de umidade e a seriedade do inverno, quando fosse inverno. Mas eram bem mais discretas.

Eu tinha treze anos. Ter treze anos é como estar no meio de lugar nenhum. O que se acentuava devido ao fato de eu estar no meio de lugar nenhum. Numa casa que não era minha, numa cidade que não era minha, num país que não era meu, com uma família de um homem só que não era, apesar das interseções e das intenções (todas elas muito boas), minha.

Os nós dos dedos ficavam esbranquiçados, querendo rachar. Era estranho. Eu parecia me transformar progressivamente em outra coisa, como se estivesse passando por uma lenta mutação.

Talvez eu virasse um lagarto ou uma daquelas plantas capazes de vicejar no deserto. Talvez eu me mineralizasse e virasse um rio temporário, daqueles que somem no leito crestado, na seca, e depois incham e escorrem felizes como se tudo não passasse disso, escorrer felizes, sem qualquer ameaça. Como se a sua própria vida de rio não fosse sazonal e quebradiça.

Mais de uma vez pensei, durante os primeiros meses, que aquele não era um lugar feito para os seres humanos, não mais do que para as baratas. E no entanto havia treze milênios que os seres humanos viviam ali, numa queda de braço com o lugar, muito antes das minas de ouro e prata do século dezenove. Muito antes de Buffalo Bill.

Naquele mês de julho, o primeiro mês do meu ano-novo, Fernando me levou a uma piscina pública. As pessoas de pele clara se estatelavam nas espreguiçadeiras em busca de um bronzeado que custava a chegar, e que quando chegava tinha um certo avermelhado óbvio demais, avermelhado demais.

Assim como os outros latinos, e como os indianos, minha pele já bem marrom na origem ficava ainda mais marrom com uma hora de sol. Eu não sabia muito bem o que fazer com toda aquela melanina fácil, leviana, que se entregava de coração ao sol como se fosse voluntária de algum rito sacrificial.

Uma mulher falou comigo quando passou pela minha cadeira voltando da piscina, disse que eu tinha um belo bronzeado. Quando ela sorriu, seus olhos se afundaram nas dobras de gordura que cobriam seu rosto. Pensei: ela parece um travesseirinho de plumas. Ela usava um maiô com saiote e tinha mãos muito pequenas na ponta dos braços obesos, mas caminhava com seus pés atarracados como se tivesse medo de tocar o chão. Caminhava como se o chão machucasse.

Cogitei elegância. Não era elegância. Talvez uma certa desconfiança no ato de caminhar.

Talvez aquela mulher nos lembrasse que é preciso fazer cerimônia com o mundo, que isto aqui não é de brincadeira, que isto é coisa séria e perigosa, e que o simples gesto de pisar no chão já te confere uma responsabilidade inimaginável. Ou talvez fosse apenas seu jeito de caminhar e não tivesse nada a ver com responsabilidade e ninguém tivesse, aliás, nada a ver com isso.

Na piscina, emergi ao lado de um homem bonito, com cordas grossas de músculos enrolados nos braços duros, e olhei de perto e percebi que ele tinha cílios louros. Eu não sabia que existiam pessoas de cílios louros. O homem bonito trocava sorrisos e palavras (mais sorrisos do que palavras) com uma jovem elástica de sobrancelhas cinzeladas.

Afundei de novo e abri os olhos lá embaixo e vi uma multidão de pernas de vários formatos, tamanhos, tonalidades e espessuras. Tentáculos de um leviatã de águas cloradas, oscilando para cá, para lá, sem critérios nem sincronia.

Antes, em Copacabana, havia: biquínis minúsculos. Bundas de fora. Uma ou outra mulher passando água oxigenada nas pernas para alourar os pelos. Dependendo do ponto, muitas crianças. Dependendo do ponto, algumas prostitutas. Corpos musculosos correndo sob o sol. Corpos flácidos correndo sob o sol. Sungas apertadas delineando o saco dos homens e revelando para que lado ficava o pênis. Quando eu não tinha mais nada para fazer, na praia, brincava de elaborar estatísticas – se havia mais homens com o pênis para o lado esquerdo ou para o lado direito.

Agora, em Lakewood, havia: biquínis e maiôs grandes em tecidos que às vezes formavam papadas na bunda. Homens de bermuda. Na beira da piscina, pessoas comendo hambúrguer e batata frita e bebendo cerveja e refrigerante em copos king-size de papel.

O tamanho das coisas me surpreendia. São muito caras? perguntei ao Fernando. Não, ele me disse. Você quer?

Eu disse que não. E agradeci, conforme a minha mãe me ensinou a fazer.

O ano começou em julho. Não exatamente quando o oficial da imigração verificou o meu passaporte americano (que me identificava, mas com o qual eu ainda não me identificava). O ano começou semanas antes, quando Fernando telefonou.

Naquele dia, eu já estava com a minha única mala pronta. Coloquei tudo o que era importante na mala e ao aprontá-la descobri como a categoria Importante é uma categoria mole. Não se sustenta. A memória da cebola depois de descascada. Uma ideia que você faz da cebola e que não necessariamente corresponde à cebola de fato. As lágrimas por causa da cebola, que se originam na extremidade final de toda uma complexa cadeia de enzimas, gases, terminais nervosos e glândulas, como Mrs. Mojo explicaria em algum momento, na escola (no mesmo dia, aliás, em que Mrs. Mitchell revelaria que a pizza foi inventada em Chicago).

Quase tudo o que era importante deixava de ser quando confrontado com um olhar valente, com um olhar jogo do sério.

Eu considerava as minhas coisas:

Aqueles livros já lidos: não ia reler, ia? Faria sentido ficar rebocando por aí uma coleção de paralelepípedos de papel com capas coloridas como se eles fossem animais de estimação, cachorros babões e meio cegos precisando de cuidado extra no fim da vida?

Aqueles dois pares de tênis: um me machucava no calcanhar, era o mais bonito mas me machucava no calcanhar. A confrontação da beleza com a adequação pode ser algo bem constrangedor. E a utilidade de um par desconfortável de tênis, algo bem clandestino e precário. Ademais, sempre existiria alguém no mundo com pés um pouco diferentes dos meus – mais delicados, sem aquele osso tão saliente no canto. Essa pessoa seria a Cinderela do meu par mais bonito de tênis, e só me cabia dizer adeus e desejar que fossem felizes para sempre.

Aqueles quatro pares de brincos dos quais eu só gostava mesmo de três mas só usava mesmo dois e nem precisaria de dois, já que só tenho um par de orelhas: era melhor doar três dos quatro pares de brincos a alguém mais vaidosa no tempo e no espaço, e com planos menos migratórios do que os meus. Inclusive porque quanto menos brincos a gente tem, menos brincos a gente perde. Se eu deixasse aquele par de brincos atarraxado nas minhas orelhas dia e noite, havia uma boa chance de que eles fossem me acompanhar por um longo tempo, e por sorte orelhas não eram pés e brincos não eram sapatos.

Bichos de pelúcia? Uma coisa tola, inútil e colecionadora de ácaros. Eu poderia doá-los para alguma criança tola, inútil e os ácaros seriam bem merecidos.

E assim por diante.

As roupas de calor, noventa por cento do meu guarda-roupa, só serviriam durante parte do ano. As roupas de frio seriam insuficientes para o frio: um agasalho de moletom para temperaturas abaixo de zero?

Mas o que eram exatamente temperaturas abaixo de zero? Eu abria o congelador da geladeira de Elisa, fechava os olhos e inspirava um universo frost free, tentando imaginar. Vinte negativos? Sensação térmica de trinta negativos? Era verdade que o nariz e as orelhas podiam congelar e cair? As pontas dos dedos? (Recentemente, anos depois dessa reflexão pessoal sobre o mistério das temperaturas negativas, descobri na revista *Papo de Homem* que há coisa bem pior e que as pessoas que escalam o Everest têm de enfrentar setenta graus

Celsius abaixo de zero. Aprendi isso numa coluna assinada por um senhor que se definia como um flamenguista ortodoxo, que toca bateria, ama cerveja e mulher – nessa ordem – e, nas horas vagas, é médico. Noutras seções da revista *Papo de Homem* eu também podia ler: Fim da polêmica: por que as mulheres vão sempre em dupla ao banheiro. Dicas para harmonizar os vinhos no réveillon. Como investir em imóveis mais rápido do que você imagina ser possível.)

Quantos sapatos fechados você tem? Elisa perguntou. Dois, esses dois tênis, mas um me machuca.

Elisa suspirou. Quanto você calça? Trinta e seis.

Ela foi para o quarto e voltou com um par de sapatos de couro falso, salto ligeiramente alto.

Leve isto aqui, é trinta e sete mas vai servir. Se você tiver alguma ocasião importante e não puder ir de tênis.

Eu não conseguia imaginar que ocasião importante poderia vir a ter. Fernando trabalhava como segurança numa biblioteca pública. Nas horas vagas ele ganhava mais alguma coisa como faxineiro. Não era casado e não tinha filhos. Eu não achava que ocasiões importantes fizessem parte da sua rotina. Mas Elisa, a irmã de criação da minha mãe, queria que eu levasse os sapatos de salto mesmo assim.

A gente nunca sabe, ela disse.

* * *

Um ano acabou em julho e outro ano começou em julho, mas eles não estavam emendados um no outro. Havia doze meses fora do calendário entre um e outro. Mais ou menos como aqueles dez dias que o papa Gregório XIII arrancou do mês de outubro, para instituir o calendário que todos passamos a seguir – nós, ao menos: eu, Elisa, minha mãe, quando estava viva, e o oficial da imigração no aeroporto em Atlanta e a mulher de maiô com saiote na piscina pública em Lakewood, e também o homem de cílios louros e sua esguia consorte e os sorrisos que eles sorriam cheios de conteúdo sexual implícito e seus joelhos se tocando debaixo d'água. Eu tinha estudado Gregório XIII e seu calendário na escola, parte daquela série de informações que me pareciam randômicas e que eles iam transmitindo ao longo de horas arrastadas que viravam semanas que viravam meses que viravam o ano letivo seguinte. Não sei o que o papa fez com os dez dias roubados. É possível que se encontrem no mesmo não lugar onde foram parar os doze meses durante os quais morei com Elisa, coroados por aquela arrumação de malas, ou de mala, melhor dizendo, e a exoneração dos despojos. Em algum momento perto do fim desses doze meses, arrumei a mala com as coisas importantes, já mínimas, encolhidas, e fiquei esperando o telefonema do Fernando.

* * *

Nunca usei os sapatos que Elisa me deu. Na verdade, não gostava daqueles sapatos, a fivelinha dourada no canto. E depois estavam mesmo grandes para mim, um vão de um centímetro se formava entre o calcanhar e a parte de trás se eu encostasse o dedão na frente. Então, quando eu andava, o pé subia e o salto do sapato subia com certa defasagem, como um chinelo.

E depois eu não fazia questão aos treze anos, ainda não faço aos vinte e dois, de modo que até hoje o sapato de Elisa está intacto no armário. Não gosto de saltos altos. E além disso, aos vinte e dois anos continuo calçando trinta e seis.

Lakewood, Colorado. Um lugar estranho. Mas eu não me incomodava com a sua estranheza, porque aquele subúrbio de Denver era, para mim, um mero utilitário. Algo de que eu me servia para atingir um fim. Uma ponte, um ritual, uma senha que você fala diante da porta e fica aguardando que abram, enquanto batuca com os pés na calçada, olhando ao redor só por olhar. Estar ali era estar em trânsito, e não tínhamos qualquer relevância para a vida um do outro: nem eu para Lakewood, nem Lakewood para mim.

Sozinha em casa, nas primeiras tardes, eu olhava pela janela e via a imensidão do céu cutucado pelas montanhas a oeste. Havia algum verde, sim, mas era tão pouco que para mim não contava. No meu entender, verde ou era exuberante e denso ou não era verde. Eu desconsiderava aquelas plantinhas raquíticas do deserto. As árvores na rua pareciam uma inutilidade, uma tentativa malsucedida de comprovar alguma coisa incomprovável, o ar as engolia, o espaço as engolia.

Antes eu estava habituada a caminhar por baixo das árvores. Atravessava as ruas estreitas e sujas de Copacabana e suas calçadas esbugalhadas com telhados de árvores presentes o ano inteiro. Agora, naquela cidade semiárida, as ruas eram largas e limpas e sem sombra.

Antes era um exagero de trópicos, alguma coisa na casa dos oitenta por cento de umidade relativa do ar. Perfeito para as baratas. As baratas eram tão felizes no Rio de Janeiro, aquele espaço acolhedor e fácil. Agora, esse número ficava em torno dos trinta por cento.

E havia o calor sem água, estéril, que deixava meu corpo seco e minha pele parecendo uma folha de papel. Use muito hidratante, me disse uma senhora no avião. Eu passava hidratante três, quatro vezes por dia. No corpo todo, no rosto e nos lábios. Respirar doía, durante a noite.

A gente acaba se acostumando, disse Fernando.

Fernando entendia disso. De acabar se acostumando. No final de algum tempo eu já

seria capaz de olhar para ele e ver o homem-que-
-se-acostumava.

Ele podia trabalhar na lavoura em São João
do Araguaia, no Pará, podia sobreviver atrás do
balcão de um pub londrino e sob a secura do ar em
Lakewood, Colorado. Podia sobreviver a exércitos
inteiros e a amores pela metade. A mulheres que
desapareciam. A mulheres para as quais ele precisava desaparecer. À travessia de fronteiras e de
ideologias. Podia inclusive sobreviver a mim e ao
meu súbito ressurgimento, saída de uma caixinha-
-surpresa feito um daqueles palhaços com mola no
pescoço. E podia dizer está bem, como tinha dito.
Havia nisso seu quê de heroísmo.

Acabei notando que a secura do ar trazia
algumas vantagens.

Eu podia, por exemplo, deixar a toalha em-
bolada de qualquer jeito depois do banho, e aquilo
que no Rio de Janeiro continuaria por algum tempo sendo umidade inflexível e logo em seguida
evoluiria para o mau cheiro e por fim o mofo, naquele compromisso lascivo com a vida, naquela
constrangedora explosão de fecundidade e virili-
dade dos trópicos (e do que a terra mais garrida
nossos risonhos, lindos campos têm mais flores,
nossos bosques têm mais vida e nossa vida mais
amores), ali no Colorado rapidamente subia aos
céus, já não era, e a toalha ficava seca e dura na
posição em que eu a tivesse deixado, arremedo de
estátua.

Em Copacabana, Rio de Janeiro, havia baratas, amendoeiras, mosquitos, maresia, pombos. Igrejas. Supermercado Mundial. McDonald's. Em Lakewood, Colorado, havia coelhos, cães-de-pradaria, corvos. Igrejas. SuperTarget. McDonald's.

Eu tinha decidido ser de uma coragem absoluta, inabalável. O que quer que a minha vida fosse, feliz ou infeliz ou N.D.A., isso dizia respeito apenas a mim. E depois essas categorias pareciam tão pouco dignas de confiança quanto o conceito frouxo das coisas importantes, com o qual topei ao arrumar a mala. Eu ia fazer o que tinha de ser feito e não seria o nariz seco à noite que haveria de me trazer uma autoconsciência trágica, depois de tudo. Não mesmo. Minha situação era óssea, era da ordem das estruturas, sem carne, sem glacê. Eu cabia dentro de um corpo de treze anos de idade e todos os meus bens materiais cabiam, agora, numa mala pesando vinte quilos. E tudo se orientava pela sombra potencial do passado – uma sombra de meio-dia, que você não vê, mas sabe se guardar em segredo nas coisas, pronta para começar a vazar pelo chão assim que o planeta virar um pouquinho de perfil.

Em geral, eu não fazia muita coisa naqueles primeiros dias no Colorado. Olhava pela janela, para a rua, e a rua me olhava de volta, sem interesse. Ambas bocejávamos. Eu evitava me olhar no espelho. Levava choques ao tocar nas maçanetas por causa da eletricidade estática. Arrumava o que pudesse ser arrumado na casa, e considerava isso uma espécie de retribuição, ainda que insuficiente, pela acolhida, como quando morava de favor com Elisa.

Recebi instruções de como usar a máquina de lavar roupa, a secadora, o lava-louça, o micro-ondas e o fogão elétrico (era preciso tomar MUITO cuidado ao usar o fogão elétrico, Fernando repetiu três vezes, e mentalmente eu disse puta merda Fernando, não sou surda nem burra).

Surgiu de algum lugar um par de patins usados, e quando havia qualquer fiasco de nuvem no céu deixando o sol um pouquinho menos veemente eu saía de patins pela vizinhança. Um quarteirão a mais por dia. Alargando meu círculo de influência. Marcando meu território num território que não era meu, como um animal bem-intencionado e equivocado marcaria usando seus fluidos corporais. Fazendo isso por fazer. E as árvores sempre poucas, sempre baixas e minguadas, mesmo que não fossem, porque as ruas largas e os espaços vazios e o céu, feito deuses arrogantes, as obrigavam com o dedo em riste a murchar.

Foi a primeira vez na vida que me dei conta do tamanho relativo das coisas. Tudo ficava pequeno naquele lugar. Até mesmo quando Fernando me levou para passear nas áreas ricas dos subúrbios ao sul de Denver. As casas imensas de dois, três andares eram pintadas em cores neutras e existiam plácidas e sonolentas feito bolos expostos no balcão de uma imensa confeitaria. Depois de algum tempo aquilo me pareceu meio perigoso, um pesadelo recorrente onde nada acontecesse de fato, mas onde houvesse uma promessa do macabro na quietude do ar, na ausência de gente andando pela rua, no conformismo dos gramados que eram como sorrisos falsos, nos arbustos em forma de bolota, domados, circenses.

Passou por nós um homem de bicicleta com uma camiseta em cores berrantes. Os músculos de suas coxas ondulavam sob a malha apertada da bermuda preta, acolchoada na bunda. Ele usava um capacete pontudo com um espelhinho retrovisor. Eu nunca tinha visto capacetes com espelhos retrovisores.

Achei estranho não ver gente andando pela rua. Pensei num mundo pós-apocalíptico onde o ar fosse insalubre e as pessoas tivessem que ficar protegidas, pinguepongueando entre o interior de suas casas e o interior de seus carros e o interior de estabelecimentos comerciais.

Achei estranho que as lojas, todas elas imensas, dessem as costas para as calçadas (isso talvez explicasse por que não havia gente andando por ali) e abrissem as portas para barrigas de estacionamentos com vagas demarcadas e mares de utilitários esportivos.

Tentei calcular o número de cômodos das casas pelo número de janelas – aquelas casas deviam ter seis, sete, oito quartos.

Mas até mesmo ali o que sobrava era o céu se esticando acima de você e o chão basicamente plano que a oeste esbarrava na dissidência alpina das Montanhas Rochosas, subindo a mais de quatro mil metros de altitude, e no resto da rosa dos ventos se estendia monótono pelo que sobrava do estado até o Nebraska e o Kansas, o Oklahoma, ao sul o Novo México e ao norte o Wyoming. Aqueles nomes inéditos cujo histórico e significado eu tentava sugar da memória coletiva.

Plana, lisa, seca, tediosa, poeirenta, uniforme, contínua, constante, chata, sem graça: essa seria minha primeira impressão da planície, nos meses por vir. O que existia ali era a ditadura do espaço, uma infinidade de chão para a direita, uma infinidade de montanhas para a esquerda, uma infinidade de céu encapotando tudo.

As mansões dos subúrbios ricos de Denver não podiam ser consideradas menos do que ridículas na sua ambição de competir com o espaço. Os sete quartos, ou fossem quantos fossem, dez, vinte, não eram nada. Lá de cima, na sua trilha ocidental, as montanhas morriam de rir daquilo tudo. As montanhas morriam de rir até mesmo dos prédios em downtown Denver. Quando você descia no Aeroporto Internacional, o centro da cidade era um pequenino grumo do tamanho de uma bola de gude. Ali dentro se perdiam os arranha-céus, que não arranhavam céu nenhum, porque o céu do Colorado ainda não se deixou arranhar por mãos humanas de concreto: os 56 andares do Republic Plaza, os 52 da torre da Qwest (onde você lia, bem no alto: Qwest), os 50 do prédio em formato de caixa registradora. Nada disso fazia a menor diferença. Nem as mansões, nem os prédios, nem os campos de golfe verdejando artificialmente no meio de uma aridez de quase deserto. A realidade obedecia a uma outra escala.

Talvez por isso a sensação, presente comigo desde o primeiro dia, de que ali o céu era mais baixo — e mesmo assim tão distante dos arranha-céus presentes e futuros. Assim que eu saía da densidade bem-comportada de downtown Denver, logo vinha aquela enorme solidão calcar tudo o que existia, carne, metal, folha, tronco, pedra. Uma solidão imposta pelo espaço. Uma solidão de átomos dispersos, de coisas em falta na prateleira do mercado.

Você perde um pouco a certeza de si mesmo quando confrontado com isso. E quando eu saía pela vizinhança de Fernando nas primeiras semanas, de patins, as casas pequenas me pareciam mais humildes e adequadas, como se abaixassem a cabeça, e ali as pessoas pareciam, ao sorrir para mim e me cumprimentar, dividir um pouco aquela mesma solidão. Como se os sorrisos dissessem: é mesmo, não é?

Naqueles dias, ávida por informação, li que o estado inteiro do Colorado tinha menos gente do que a cidade do Rio de Janeiro. Mas eu sabia que as montanhas do Rio de Janeiro, ainda que por outros motivos, também achavam graça da sua cidade. Aquelas montanhas tropicais de onde já se esfolaram florestas inteiras. As montanhas puxadas do chão rente ao mar, que a cidade escalava e escalava e onde se construía como podia, com o material que tivesse à mão, desabando de tempos em tempos com as chuvas mas se reconstruindo como podia.

As montanhas não discriminavam. A relação era diferente, ali: a cidade crescia por cima delas, rolando pedras. Fazia pensar numa história que minha mãe havia me contado, sobre o infeliz grego chamado Sísifo que, por causa de alguma trapalhada (os gregos da mitologia viviam aprontando: eles eram megalomaníacos e indisciplinados), recebeu dos deuses o castigo de ficar rolando para cima de uma montanha uma pedra enorme que depois desabava e ele tinha que rolar de novo. Eu imaginava aqueles sádicos deuses gregos contemplando o trabalho de Sísifo pela eternidade feito um grupo de senhoras diante da mesa do chá, fedendo a perfume doce e trocando comentários cheios de cobiça e amarga frustração sobre os hábitos pecaminosos das novas gerações. Com pedaços de bolo grudados nos dentes e sobrancelhas finas demais.

Das montanhas do Rio de Janeiro as pessoas: pulavam de asa-delta. Davam tiros. Viam o resto do Rio de Janeiro lá embaixo e a arrebentação que parecia uma faixa fixa de espuma branca.

As montanhas do Rio de Janeiro achavam graça, no âmago de sua intimidade de terra e pedra e raízes e matéria orgânica de folhas e bichos mortos e cadáveres desovados, achavam graça de todo aquele ansioso drama humano: amam-se uns aos outros, matam-se uns aos outros, rolam pedras, e no frigir dos ovos nada disso faz muita diferença. O tempo das montanhas é outro, seus parâmetros também.

Talvez tudo tivesse começado treze milênios antes. Ou somente treze anos antes. Como eu poderia ter certeza? Quem sabe colocando o dedo na ferida que não era exatamente uma ferida (e todo mundo tinha coisas mais sérias em que pensar). Quem sabe conversando com o fantasma de William F. Cody, o velho Buffalo Bill – numa visita ao seu túmulo, as pessoas podiam *sentir a brisa dos altos picos da Divisa Continental, sentir o cheiro dos pinheiros e observar os animais selvagens das montanhas, tudo isso a apenas trinta minutos do centro de Denver*. Viu alguma coisa? Ouviu falar? Quem sabe lendo a mensagem num punhado de areia mágica no santuário de Chimayo, um estado ao sul, enquanto a mulher chorava *me puedes ayudar, un dólar por favor* (era o seu negócio, como aquele homem que tirava a camisa e deslocava o braço e ia pedir dinheiro em pleno centro nervoso do Rio de Janeiro, na esquina da Evaristo da Veiga com a Rio Branco: as pessoas faziam uma careta involuntária diante do aleijão. Davam um trocado. Depois o homem ia para trás do Teatro Municipal e colocava o braço no lugar). Eu daria o dólar que a mulher pedia enquanto Fernando daria de ombros, perguntando em voz baixa como é que eu podia cair naquilo, mas o dinheiro era meu e o problema também.

O mundo não me devia nada, mas isso não me impedia de seguir mal e porcamente um trajeto mal e porcamente traçado, que não tinha nenhuma importância para a vida de ninguém, e que poderia ter passado como de fato passou: à margem de tudo. Quase em branco.

Mas digamos, para fins narrativos, que tudo tenha começado com ela. Treze anos antes.

Crotalus atrox

Foi ela quem me ensinou inglês e espanhol. Era o que ela sabia fazer. Se fosse professora de ioga, teria passado doze anos me ensinando ioga, e se trabalhasse na lavoura eu teria uma enxada antes mesmo de aprender a falar. Era o que ela sabia fazer, e achava um desperdício não deixar para mim, de graça, como herança em vida, qualquer conhecimento que fosse.

Eram inglês e espanhol porque ela havia morado nos Estados Unidos, nos estados do Texas e do Novo México, durante vinte e dois anos, e porque se há algo que vinte e dois anos num lugar te impõem é o domínio da língua local, mesmo que você não tenha nenhum talento especial para isso.

Minha mãe aprendeu formalmente o inglês na escola. Com os *tejanos*, informalmente, o espanhol.

E eu aprendi as duas línguas com a minha mãe, me entregando às aulas com uma resistência que nunca teria condições de competir com a resistência dela.

¿Es el televisor?

No, senõr (señorita, señora), no es el televisor. Es el gato.

Once upon a time there were four little Rabbits, and their names were —

> *Flopsy,*
>   *Mopsy,*
>   *Cotton-tail,*
>   *and Peter.*

(Depois pude ver, na época da Páscoa, o Peter Rabbit em supermercados. Lembrei-me da minha mãe. Também me lembrei de Flopsy, Mopsy e Cotton-tail, que eram coelhinhos bem-comportados e portanto escapavam às punições da vida, embora não tivessem o charme heroico de Peter.)

As mães nesta família morrem cedo. Aos nove anos de idade minha mãe já não tinha mais mãe, e foi para o Texas com o pai geólogo. Uma oportunidade de trabalho para ele, surgida através dos contatos dos contatos dos contatos.

Minha mãe cresceu no Texas. Um dia, e ela nunca me disse por que, e eu de algum modo achei que não devia perguntar, rompeu relações com o pai e se mudou para o Novo México.

Minha mãe gostava de romper relações com os homens e desaparecer de suas vidas. A tendência foi inaugurada ali, com meu avô geólogo.

Ela arranjou uma casinha em Albuquerque, perto da Rota 66 e seu charme passadista, mais de uma década antes do meu nascimento. Uma daquelas casas de adobe, teto reto, vigas de madeira atravessando as paredes no sentido horizontal para sustentá-lo.

Ela ainda morava nessa casa quando eu nasci. Moramos juntas nela até eu completar dois anos de idade. Visitei-a bem mais tarde, com Fernando e Carlos, meu par improvável de companheiros de viagem, num dia gélido de novembro. Era uma casa pequena e de uma simplicidade absoluta, como se tivesse brotado do próprio chão.

Minha mãe ganhava a vida dando aulas de inglês para os mexicanos que migravam de volta para o Novo México – tempos depois de os americanos terem migrado para lá, como ela gostava de dizer. Quem era estrangeiro ali, quem era local? Que língua a terra falava? (Na essência, não falava inglês nem espanhol, porque os povos que estavam ali quando os exploradores e os conquistadores chegaram eram navajo e anasazi e ute. E outros. E outros antes desses. Mas nenhum com o sobrenome de Coronado ou Oñate, nenhum conhecido pela alcunha de Cabeza de Vaca. Ou Billy the Kid.)

Minha mãe também dava aulas de espanhol para os americanos. Os alunos da universidade às vezes a procuravam. Alguns, uns poucos, queriam aprender português. A essa altura, era a língua que ela menos dominava, das três. Mas por causa dos alunos se meteu com discos e filmes e livros brasileiros. Aqueles poucos americanos interessados no Brasil fizeram com que minha mãe recuperasse o Brasil, o que ela fez talvez de modo meio canhestro, a princípio, com a falta de jeito do filho nada pródigo que volta para casa com as mãos nos bolsos e as orelhas murchas. Mas pouco depois já está colocando os pés cruzados em cima da mesa e jogando em qualquer canto as pontas de cigarro.

Não tenho, claro, memórias da minha primeira infância em Albuquerque. Quando recuo no tempo, a sensação é a de ter nascido no Rio de Janeiro. Mais especificamente, na praia de Copacabana – ali mesmo, sobre a areia, entre os pombos e o lixo que os frequentadores da praia deixavam para trás.

Penso em Copacabana. Fecho os olhos e mesmo que eu escute *Acoustic Arabia* e tenha acendido um incenso japonês destinado a templos zen-budistas, o que chega aos sentidos, via memória, é um cheiro vago de maresia, um gosto vago de picolé de fruta misturado com areia e água do mar. E o ruído das ondas fervendo na areia, e a voz do vendedor de picolé sob o sol úmido do Rio.

Lembro-me da luz, dos meus dedos cavando túneis e construindo castelos na areia molhada, pacientemente. Havia outras crianças ao redor, mas éramos cada uma o começo, o meio e o fim de nosso universo particular. Brincávamos juntas, isto é, dividindo o espaço com uma espécie de harmonia tensa, mas era como se cada criança estivesse recolhida à sua própria bolha de ideias, de sensações, de iniciativas, de projetos arquitetônicos vanguardistas envolvendo areia molhada e palitos de picolé.

Nasci portanto aos dois anos de idade na praia de Copacabana, e era sempre verão, mas um verão irmão da água, e minhas ferramentas para mudar o mundo, para alterá-lo e moldá-lo e torná-lo digno de mim, eram um baldinho vermelho, uma peneira, uma pá e um ancinho amarelos.

E lá adiante havia um horizonte sobre o qual eu não pensava. A faixa imaginária onde o céu e o mar se dividiam, líquido para um lado, não líquido para o outro. Uma espécie de abstrato concreto.

Eu deixava em paz o horizonte e preferia sonhar com as ilhas, que eram reais e talvez alcançáveis a nado se eu um dia me dedicasse à natação e separadas por um mundo de sombras diferentes, um mundo de velocidade e sons diferentes, onde animais muito diferentes de mim existiam. O mundo dos peixes, das algas, dos moluscos, das conchas azul corvo – como as que eu leria num poema, bem mais tarde. Toda uma outra vida, outro registro, mas era possível mesmo para um ser humano nadar entre eles, observá-los, mergulhar até o chão do mar de Copacabana e tocar a intimidade da areia, ali, tão longe dos palitos de picolé e das bolas de vôlei e dos vendedores de empada. Aquela intimidade que desconhecia por completo o caos assimilado do bairro de Copacabana, onde as pessoas se apressavam ou andavam em seu passo idoso de aposentadas ou assaltavam ou eram assaltadas ou faziam fila no banco ou levantavam peso na academia ou pediam dinheiro no sinal ou fingiam não ver quem pedia dinheiro no sinal ou olhavam para a mulher bonita ou eram a mulher bonita com os pequenos triângulos do sutiã do biquíni ou somavam preços na caixa registradora do supermercado ou recolhiam o lixo das calçadas e das ruas ou jogavam lixo nas calçadas e nas ruas ou se prostituíam com os turistas ou escreviam poemas ou passeavam com o cachorro. O drama da cidade não era nem um dado no subconsciente do fundo do mar. Não tinha importância, relevância, não tinha nem mesmo existência ali.

Já o horizonte era tema dos que almejam o impossível. Para poder continuar almejando, desconfio. Sempre achei cômoda a posição de estar em busca daquilo que não se vai encontrar. Pensar no horizonte, e em sua dimensão poética, simbólica, não era para mim. Eu preferia pensar nas ilhas e nos peixes.

Ou então, melhor ainda, na arquitetura do castelo que construía naquela manhã e que dessa vez não ia desmoronar. Eu estava fazendo algumas melhorias no projeto já várias vezes malsucedido.

Havia crianças e adultos ao meu redor, eu registrava mais ou menos perifericamente sua existência. Podíamos conviver bem se não nos incomodássemos uns aos outros, se interagíssemos o mínimo. A praia era grande e grátis, o sol era para todos.

No Rio, minha mãe também dava aulas. De inglês e espanhol. De português para estrangeiros. Ela dizia que era uma Profissão Curinga, e dizia isso de modo solene. Em qualquer lugar do mundo haveria pessoas querendo aprender inglês e/ou espanhol. E o português – o português aumentaria sua esfera de influência depois que o Brasil mostrasse a que veio.

Você vai viver para ver isso, ela me dizia, e endireitava as costas e levantava o queixo ao falar, desafiando o próprio ar à sua frente a contradizê-la.

Quando fomos morar no Brasil, ela se tornou nacionalista. Defensora de todas as coisas pátrias, entre elas a língua que herdamos do colonizador europeu e aclimatamos, e que ela passou a considerar a mais bonita do mundo.

Os anos eram os noventa e ela *votava para presidente da República*, todos os brasileiros maiores de idade *votavam para presidente da República*, ainda estavam aprendendo a manejar esse grau de civismo, mas um dia chegariam lá, ela dizia. Chegaríamos lá. Se eu não fosse uma criança tão pequena, à época, poderia ter perguntado como, se a primeira coisa que o primeiro presidente eleito democraticamente em três décadas tinha feito, em seu primeiro dia de governo, havia sido confiscar o dinheiro que as pessoas tinham na caderneta de poupança. Segundo ele, ia devolver depois. Isso aconteceu um ano antes da nossa volta ao Brasil e minha mãe lavava as mãos, mas Elisa certamente esbravejou e disse palavrões que eu poderia ter registrado para futura referência, se estivesse presente e tivesse condições de entendê-la. Mas, fosse como fosse, eles eram adultos e deviam saber o que estavam fazendo, elegendo-se, confiscando-se, xingando-se.

Eu e minha mãe não voltamos juntas a Albuquerque. Não voltamos juntas, aliás, aos Estados Unidos.

Em primeiro lugar porque agora ela não ganhava mais em dólares pelas aulas que dava, e no Brasil os recursos humanos podiam ser mercadoria bem barata, mesmo os recursos humanos perfeitamente trilíngues – portanto, para o nosso novo bolso verde e amarelo e semissubempregado, a viagem era cara.

Em segundo lugar porque minha mãe não era de caminhar por cima dos próprios passos. Quando ia embora, ia embora. Quando abandonava, abandonava.

Nas longas férias de verão, viajávamos sempre para a Barra do Jucu, no Espírito Santo, onde minha mãe tinha amigos. Entrávamos no Fiat 147 dela e umas sete horas depois chegávamos, moídas e felizes, e no caminho minha mãe ouvia música e cantava junto, e parávamos em lanchonetes com cheiro de gordura e café queimado para usar banheiros com cheiro de urina e desinfetante, onde uma funcionária muito gorda ficava sentada fazendo crochê e vendia panos de crochê e calcinhas, ao lado de uma caixa de papelão com as palavras CAIXINHA OBRIGADA.

Minha mãe colocava Janis Joplin para tocar e aumentava o volume e esticava a cabeça para fora da janela do Fiat 147 e cantava junto, como se estivesse num filme:

Freedom's just another word for nothing left to lose,
Nothing don't mean nothing honey if it ain't free, now now.

Mesmo quando eu ainda não entendia a letra ("Liberdade é apenas uma outra palavra para nada mais a perder / Nada significa nada meu bem se não for livre"), ficava hipnotizada pelo transe da minha mãe. Ela parecia uma outra mulher, que me fascinava e amedrontava. Tinha uma rouquidão na voz exatamente como a de Janis Joplin e eu me perguntava por que certas pessoas se tornavam Janis Joplin e outras pessoas se tornavam minha mãe.

Você canta tão bem quanto a Janis Joplin, eu disse a ela certa vez.

A única coisa que a gente tem em comum é que o pai dela trabalhava para a Texaco, minha mãe respondeu. Você sabe. Petróleo.

Quando fui informada de que Janis Joplin tinha morrido em 1970, quase duas décadas antes que eu nascesse, fiquei indignada. Pensei que Janis Joplin fosse minha contemporânea, e que estivesse cantando "Me & Bobby McGee" em algum lugar do planeta enquanto minha mãe, que era tudo aquilo que Janis Joplin não tinha sido, que era o avesso dela, sua antimatéria em outra dimensão, colocava a cabeça para fora da janela do carro que não era um Porsche pintado com cores psicodélicas e berrava o que podia berrar para o asfalto escaldante da estrada.

Na Barra do Jucu, às vezes minha mãe saía à noite, ia dançar ou encontrar alguém para umas cervejas.

Dois desses alguéns viraram namorados, duraram alguns verões. Um deles ia nos visitar no Rio. O outro morava no Rio, era surfista e tinha um filho de cinco anos que eu invejava com raiva e em segredo. Entre o Rio e a Barra do Jucu, o namorado da minha mãe começou a me ensinar a surfar, mas depois as coisas entre os dois não foram adiante. Durante alguns meses ele me telefonou para saber notícias e tentar descobrir, nas entrelinhas, se minha mãe já tinha outra pessoa, e se a outra pessoa parecia mais gostável do que ele, e por quê. Aliei-me ao surfista, mas não adiantou. Um dia ele parou de telefonar, e eu parei de surfar.

Os amigos da minha mãe na Barra do Jucu também tinham filhos pequenos. Gostávamos de ficar olhando os caranguejos no mangue, bem atrás da casa – os caranguejos exerciam certa fascinação terrível sobre mim, que em meio ao pavor e ao nojo não resistia a ficar observando seu passo lento e enlameado, aqueles monges avulsos em seus longos transes meditativos. Eu e as outras crianças saíamos do pijama para a roupa de praia e da roupa de praia para o pijama, passando por um banho de mangueira no final do dia. Alguém sempre se intrometia com um sabonete e um frasco de xampu: crescer é entediar-se. Mas eu era violentamente feliz ali, e voltava da Barra do Jucu no fim das férias com a pele da cor da madeira escura, quase como aquela mesa de jacarandá que tínhamos na sala de casa.

Elisa me dizia: preta preta pretinha. Elisa era a irmã de criação da minha mãe.

A genealogia da minha família é confusa e simples ao mesmo tempo. Minha avó criou Elisa como filha sua. Depois minha mãe nasceu e depois minha avó morreu, e quando minha mãe foi com meu avô para o Texas, Elisa ficou no Rio. Era uma mulher-feita, com dezesseis anos, e tinha um emprego e um noivo que nunca viraria marido mas ainda assim era um noivo e isso era melhor do que nada. Ao contrário da filha verdadeira, ela não rompeu relações com o pai de criação, mas também não voltou a vê-lo, porque havia um continente inteiro entre eles, e quando meu avô brasileiro geólogo aposentado morreu em solo texano picado por uma cobra texana aos 67 anos de idade, foi ela quem deu a notícia à minha mãe, lá do hemisfério sul.

Elisa era a filha que tinha saído por acaso da barriga da empregada da mãe da minha mãe. Pai não havia na história. A mãe morreu no parto.

Eu crio, disse minha avó, e assim Elisa entrou para a família.

Mas ela seria sempre filha da empregada, e esse seu pecado original, esse seu hibridismo com o mundo sombrio da criadagem, num sistema de castas arraigado no brasileiro desde que o nosso mundo é mundo, a distinguia da minha mãe. Que ganhou Estados Unidos, enquanto Elisa ficou, depois da morte da minha avó. Se alguma mágoa ficou guardada feito uma pequena joia secreta no fundo da gaveta, ela nunca me disse. Mais tarde ela estudou para enfermeira e arrumou emprego público e desmanchou o noivado porque o noivo não se decidia a casar. Segundo Elisa, era melhor ficar sozinha do que numa relação-sem-futuro.

Quanto a mim, quando alguém me perguntava o que eu gostaria de ser quando crescesse só me passavam pela cabeça atividades que se desenrolassem numa faixa de areia, diante de alguma arrebentação. Vendedora de empada? Assim, o ano compartilhado entre Copacabana e a Barra do Jucu, com a máquina possante chamada Fiat 147, era cem por cento conveniente. E fora Janis Joplin viva, nada mais me faltava. Nunca.

Mas havia as aulas de espanhol e inglês e era inútil opor resistência. Assim você consegue trabalho em qualquer lugar do mundo, minha mãe dizia.

E eu repassava mentalmente:

¿Es el televisor?

No, senõr (señorita, señora), no es el televisor. Es el gato.

Eu não sentia vontade de conseguir trabalho em lugar nenhum do mundo explicando às pessoas que gatos não eram televisores. Mas era inútil opor resistência à transmissão/imposição do conhecimento.

Minha mãe contava histórias sobre sua mãe. Sobre seu pai, falava apenas o indispensável.

Eu imaginava minha avó como uma mulher bem magra de pés pequeninos, que colecionava cartões-postais de lugares com nomes sugestivos como Hannover e Islamabad. Tinha um gato que se deitava em seu colo e mordia todas as outras pessoas. Gato excêntrico, que preferia o uso dos dentes ao das garras. Um dia o gato caiu da janela do apartamento e morreu, estatelado na calçada. As pessoas diziam que o gato tinha se suicidado.

Gatos não se suicidam, minha mãe me explicava ter explicado a essas pessoas.

Como você sabe, eu questionava.

Gatos não se suicidam, minha mãe repetia.

Eu imaginava meu avô com um chapéu de caubói, vendendo seus conhecimentos de geologia para as empresas de exploração de petróleo no Texas. E um dia sendo picado por uma cascavel mortífera chamada *Crotalus atrox*. Ele tinha um paletó azul e uma faixa de gordura na nuca.

Meus avós tinham nomes. Ela era Maria Gorete, um nome que nunca mais vi em pessoa alguma. Deve haver outras Marias Goretes pelo mundo. Mas para mim Maria Gorete é sinônimo de avó, e de uma avó específica. Ele, o marido, era Abner, alguma coisa bíblica, com a grandiosidade bíblica corriqueira.

Maria Gorete e Abner foram os pais de criação de Elisa e os pais pais-mesmo de Suzana, minha mãe. Foram meus avós-mesmo, embora eu não os tenha conhecido. E os não avós dos filhos que Elisa não teve.

Essa foi minha árvore genealógica até os treze anos de idade. Um homem e quatro mulheres em três gerações. Aritmética esquisita, amarrada como lenços coloridos dentro da cartola de um mágico. Uma árvore genealógica à qual faltavam raízes e que em lugar de certos galhos tinha apenas gestos meio vagos, indicações, sugestões, deixa-pra-lás.

Olhadas sob um outro ponto de vista, porém, as coisas eram bastante simples.

Afinal, às vezes as pessoas somem.

Mas às vezes outras pessoas vão atrás delas. Sacam os lenços coloridos de dentro da cartola e com eles arrastam coelhos, pombos e até uma tocha acesa, para assombro da plateia.

Maria Gorete, minha avó, gostava de brincar de boneca mesmo depois de adulta. Gostava de cantar aquela canção do carneirinho, que fazia minha mãe chorar todas as vezes. *Eu tinha um carneirinho, chamava-se Jasmim. Era todo branquinho, só comia capim.* Quando recebia visitas e queria exibir a filha, Maria Gorete dizia: Vocês querem ver ela chorar? E cantava. *Um dia um caçador que andava passeando pelas campinas em flor nas aves atirando* (minha mãe já estava com os olhos inundados) *disparou o desastrado bem perto do bichinho. Sem pena o malvado matou meu carneirinho.* E Maria Gorete recitava: *Ninguém pode sentir a tristeza que eu senti. Quando cheguei perto, o Jasmim já estava morto. Chorei tanto, tanto!*

E minha mãe chorava.

Que gracinha, dizia a visita nº 1.

Ela é tão sensível, dizia a visita nº 2.

Ela é uma boba, isso sim, dizia Maria Gorete.

Minha mãe me contava essa história e eu em segredo concordava com Maria Gorete: que bobagem chorar por causa de um carneirinho de uma canção. Mas minha mãe chorava de novo quando cantava a canção para mim e eu sabia que ela não estava pedindo a minha opinião e que era melhor eu não me meter. E aliás eu também achava uma bobagem Maria Gorete brincar de boneca depois de adulta. E achava o suprassumo da bobagem Maria Gorete exibir a filha diante das visitas fazendo-a chorar, e chorar por alguma coisa tão pouco digna. Concluí que as duas se mereciam.

Maria Gorete adoeceu e morreu. Dois anos antes de Janis Joplin. Minha mãe herdou suas bonecas, e quando, já nos Estados Unidos, passou a se considerar grande demais para brincar de boneca, doou-as todas para um orfanato presbiteriano em Dallas. Todas menos uma, a Priscila, que ela guardou e depois que fiquei grande o bastante me deu de presente. O que foi um erro, eu ainda não estava grande o bastante e maquiei a Priscila com caneta e não adiantava lavar, ela ficou para todo o sempre com aquela expressão de fim de baile de Carnaval.

No dia em que cheguei do Brasil, pendurei no armário as roupas que tinha para pendurar. Não eram muitas. Na entrada da casa de Fernando em Lakewood, Colorado, havia um armário para casacos e sapatos. Guardei os saltos de Elisa, que nunca ia usar. Os saltos semicerraram os olhos e ficaram ali, como um desses ascetas hindus que vão meditar numa caverna.

Fernando me disse: quando chegar da rua, tire o sapato. Assim a casa fica limpa por mais tempo.

Ele então foi até o seu quarto e voltou com uma sacola.

Toma, Evangelina, comprei para você. É para usar dentro de casa.

Na sacola havia um par de chinelos de pano xadrez forrados de pelúcia. Achei que parecia coisa de velha, mas não disse nada.

Não é para já, claro, ele disse. É para quando esfriar. Você pode me chamar de Vanja, falei.

A casa de Fernando tinha dois quartos. Ele preparou para mim o sofá-cama no segundo quarto.

Mais para a frente a gente vai ter que comprar um casaco e umas botas para você, ele disse. Tem essa loja com umas coisas boas na ponta de estoque. Mas não precisa ser já.

Não precisava. Era inimaginável que em algum momento eu fosse sentir frio ali. Botas? Ele só podia estar brincando.

Mas contrariando todas as minhas expectativas e todos os indicativos no sentido de uma secura permanente, de um novo mundo cem por cento impune em sua rigidez desértica, começaram a aparecer umas chuvas, de vez em quando.

A primeira delas foi durante a noite. Acordei e estava tudo molhado, mas não durou, o sol confiscou de novo o que podia existir de água no chão, sobre as plantas heroicas. E foi como se nada tivesse acontecido, foi como se alguém tivesse cometido uma gafe durante um jantar e todos os outros presentes se apressado em esquecê-la.

A segunda chuva foi durante a tarde, miúda, e eu tive a impressão de que ela evaporava no meio do caminho, entre a nuvem e a terra, desistente. Uma chuva esquisita, que não molhava o chão.

A terceira foi um temporal que durou dezenove minutos, acompanhado de raios e trovões. Fiquei contemplando da janela o milagre, fascinada.

Fernando disse: até que está chovendo bem neste verão. E num sábado, tudo seco de novo, pegou o Saab 1985 vermelho e me levou pela autoestrada 93, margeando as montanhas, até a cidade de Boulder. No caminho vi uma pista de corrida de *dragsters*. Em Boulder, ele comprou duas câmaras de pneu e as encheu no posto de gasolina e descemos um pedaço do rio com a bunda encaixada ali, gritando e capotando nas pedras e arranhando os joelhos.

Depois me sentei na sombra à beira do rio e vi passar patinadores, ciclistas uniformizados, labradores e um mendigo com *dreadlocks*.

Um dia fui de patins até minha futura escola e pela primeira vez senti medo real, daqueles capazes de dar um calafrio por dentro mesmo quando por fora as ondas de calor se levantavam do asfalto parecendo algo sobrenatural. Era a hora mais quente do dia e a escola pública estava fechada para as férias, e sua mudez evocava algo secreto e perigoso. Talvez ali dentro fossem conduzidas pesquisas militares ou mantidos arbitrariamente presos políticos.

Certa manhã, dali a um mês, eu entraria por aquelas portas junto com os alunos novos e os alunos antigos. Ainda estava no início da adolescência, mas já desconfiava que ela era mais ou menos como uma guerra declarada entre mim e a idade adulta.

Depois descobri que não era bem isso, mas o simples e prosaico fato de que as ideias de repente estavam claras na minha mente, e apenas na minha mente, e o resto do mundo incorria em erros, um depois do outro.

O resto do mundo usava a roupa errada, ouvia a música errada e dizia a coisa errada na hora errada, lia o livro errado, dirigia da forma errada, fungava e palitava os dentes, almoçava em família aos domingos, se casava, se separava, morria, nascia, e o que era aquele bigode naquele homem, e o que era aquela mulher com aquele short horroroso de jogador de futebol?

Minha onda messiânica viria e passaria, por falta de discípulos, ou por estratégia equivocada de marketing. Seria breve. Mas antes que eu me desse conta de que personificava uma combinação secular de Jesus, Buda, Maomé e Deepak Chopra, para depois sucumbir ao peso da responsabilidade e desistir de tudo isso, Fernando já havia manifestado sua opinião sobre a escola e seus perigos.

Cuidado com isso de ter que ser popular, ele disse. Fuja dessa palavra. Popular. Fuja também da palavra *loser*. Perdedor. Não diga essas coisas. Não pense nelas. Não divida o mundo entre gente popular e gente impopular, vencedores e perdedores. Essa merda toda.

Depois ele pediu desculpas por ter dito merda.

Em três semanas de aulas eu e Aditi Ramagiri já comentávamos que Jake Moore era um *loser*. Um *big time loser*. Um mega-*loser*, um *loser* de modo tão cabal, completo e definitivo que não havia mais salvação possível para ele. Nem adiantava crescer e virar adulto. Ele seria um adulto *loser* também. Não me lembro exatamente do motivo, mas me lembro que, quando Jake Moore passava, eu e Aditi nos entreolhávamos e dizíamos, baixinho: *loser*.

Descobri sozinha, um pouco mais tarde, que o oposto da *loserhood*, essa doença de que padecem todos os *losers*, era o meu dentista. Ele tinha a foto de sua família inteira na mesa. Todos usavam roupas combinando – em vermelho e branco, sobre o fundo de pinheiros nevados, num arranjo para o Natal. Foi a primeira vez que vi uma família reunida para uma foto temática. Todos eram louros, bonitos e sorridentes. Principalmente sorridentes, é claro.

Eu me sentia envergonhada diante daquela foto: não tinha família. Também era americana, segundo os meus papéis, mas em essência era mesmo um produto latino, estava na cara – e no resto – com aquele monte de melanina insistente na pele.

E ainda por cima usava um casaco de ponta de estoque. Quase todas as minhas roupas eram de ponta de estoque. Os modelos que com certeza estariam na coluna *out* das revistas de moda.

Mas havia esperança. Aquela foto parecia indicar que se eu me tratasse com aquele dentista quem sabe um dia viesse a ter dentes como os de sua família, e dentes como os de sua família poderiam me resgatar de todos os males e me tornar aproveitável para o mundo. As coisas boas de Janis Joplin + as coisas boas da minha mãe, pinçadas de modo criterioso. *Life is good.*

Enquanto isso, os moluscos do mar de Copacabana silenciavam o mundo dentro de suas conchas azul corvo. E os corvos sobrevoavam a cidade de Lakewood, Colorado. Os corvos azul concha.

Dentro da barra tem uma baía

Fernando era conhecido como Chico Ferradura quando chegou à Academia Militar de Pequim, nos anos sessenta. Àquela época ele não tinha como prever, nem em seus maiores surtos de criatividade, o Colorado, o Saab 1985 vermelho, uma menina chamada Vanja.

Eu nunca soube de onde veio o codinome. Como é que Fernando virava Chico e ainda por cima ganhava uma Ferradura. Essa foi uma das coisas que ele não me contou durante o tempo em que moramos juntos, e uma das coisas que não constavam dos papéis que me deixou examinar, dando de ombros – aquelas cartas insuficientes e anotações avulsas guardadas numa caixa de madeira de vinho El Coto de Rioja no fundo do armário, junto com manuais de aparelhos eletrônicos, fotografias antigas, um baralho incompleto e alguns cupons de descontos vencidos.

Mas ele me contou que logo após desembarcar na China e ser recebido por uma comitiva oficial, em janeiro de 1966, foi convidado, junto com o restante do grupo de quinze militantes do Partido Comunista do Brasil, para ir à ópera.

A Ópera de Pequim não parecia uma ópera. Não que Fernando entendesse de ópera, mas imaginava mulheres gordas cantando agudo, as papadas balançando com o esforço e os peitos brancos e carnudos saltando para fora do decote (se a pessoa espetasse os peitos da cantora com um alfinete talvez provocasse uma magnífica explosão lírica, e porções de soprano cairiam sobre os assentos mais caros). Ali em Pequim, o espetáculo era outra coisa, misturava acrobacia, mímica, dança, canto, teatro. Os atores-cantores tinham máscaras pintadas no rosto e roupas cheias de cores e brilhos e coisas penduradas nas costas e no cabelo e cantavam de um jeito completamente diferente de tudo o que ele tinha visto em seus vinte e dois anos de vida.

Mas Chico não estava em Pequim para assistir a espetáculos artísticos, ainda que a ópera, desde que apresentasse temas comunistas (o resto era subversivo), integrasse a máquina revolucionária.

Sua viagem até a China de Mao Tsé-Tung tinha começado dez meses antes, e com um propósito bem definido. Ele aprenderia técnicas de guerrilha junto com os outros catorze brasileiros militantes do PC do B.

De Brasília, onde morava, ele tinha ido para São Paulo, ficado ali por uma temporada, tentando disfarçar as próprias pegadas, e dali a Paris, idem, e então até Pequim.

Como outros, ele estava convencido, conforme mais tarde ele ia me contar – a mim, que era tão estranha àquela história –, de que a derrubada da ditadura militar no Brasil teria que ser feita pegando em armas. Eleições? Possibilidade que não existia. O caminho da transição pacífica não era um caminho. Os revisionistas podiam dizer o que quisessem: rachas aconteceriam e novos partidos nasceriam, confiantes na luta armada popular. Uma longa guerra de libertação do povo brasileiro, desenvolvida sobretudo no interior, e com a guerra de guerrilha como estratégia inicial.

E por isso o curso em Pequim: em nome da guerra popular. Em nome da revolução comunista no maior país da América do Sul, a partir do modelo chinês. E enquanto Chico Ferradura aprendia técnicas de guerrilha na China, as Forças Armadas Brasileiras aprendiam técnicas de combate ao Inimigo Interno, incluindo mais e melhores métodos de tortura, nos Estados Unidos e na Europa. E hoje em dia todo mundo está a par de tudo isso. Mas as coisas têm um rosto distinto quando vivemos o pós-elas. Quando nascemos tantos anos depois. Quando precisamos que nos informem, que nos expliquem, que nos digam que era óbvio o óbvio que pulou para dentro dos arquivos. As verdades feias foram ao banheiro e retocaram a maquiagem. (Na escola, durante as aulas de história do

Brasil, tudo era maçante, distante e levemente inverossímil. Eu acompanhava os pombos lá fora enquanto o professor dizia que durante os anos sessenta. Que durante os setenta. Anos setenta para mim eram o *That '70s Show* do canal de programas estrangeiros.)

Chico era bom com as armas.

Também era bom com as mulheres.

As duas coisas apareceram na sua vida muito cedo. Ele estudou tiro no interior de Goiás, perto de casa, ainda adolescente. Era um talento inato. Existia alguma união metafísica entre ele e o alvo, o tiro obedecia, o tiro sabia não haver dissidência possível.

Mais ou menos na mesma época ele se apaixonou pela primeira prostituta de sua vida, no instante exato em que ela segurou sua mão e a colocou no decote da blusa. Ele a pediu em casamento. Ela sorriu de um jeito metade benevolente, metade eu--já-vi-esse-filme-tantas-vezes-antes, e perguntou: quantos anos você tem. Dezessete. Mentira, ela denunciou. Juro, ele mentiu. E ela não disse mais nada. Também já tinha visto aquele filme antes. Na verdade, ela já tinha visto quase todos os filmes antes e tudo era mais do mesmo. Inclusive garotos que mentiam ter dezessete anos quando estava na cara que tinham seus quinze, se tanto.

Ele não me disse prostituta. Definiu-a certo dia, depois de ter tomado umas cervejas, como uma moça que trabalhava numa dessas casas de moças, e a minha imaginação foi completando o resto, foi pescando os significados do silêncio dele, pendurados no ar como esses balões das histórias em quadrinhos. Ele disse que gostou dela, e eu pensei no decote da blusa e achei que podia de fato ter sido assim, da mesma maneira como pensei algumas outras coisas ao longo desses anos. Afinal, se as pessoas não me forneciam detalhes, eu tinha o direito moral de providenciá-los eu mesma.

De todo modo, os dois talentos de Chico Ferradura infelizmente nem sempre optariam por conviver em harmonia no futuro dele, que naquela época ainda era apenas Fernando, um garoto enérgico que falava sem parar, talentos muito úteis quando ele ingressou na Universidade de Brasília como estudante de geografia e se meteu na Ação Popular. Passou pela cadeia uma ou duas vezes, também. Mas não aprendeu a ficar quieto no seu canto e observar a gênese ufanista do milagre brasileiro (que só foi milagroso por algum tempo, e não para todos, conforme ele me explicou, mas não dava para questionar: era mais do que sabido como era doloroso, intensamente doloroso, muitas vezes mortalmente doloroso peitar o *status quo* fardado).

Quase quatro décadas depois, ele ainda sabia de cor as palavras do Camarada Mao: Quando o inimigo avança, recuamos. Quando para, o fustigamos. Quando se cansa, o atacamos. Quando se retira, o perseguimos.

Não que coisas dessa ordem ainda fizessem parte da sua vida, quando fui morar com ele, quase quatro décadas depois.

Tudo tinha um preço. Fazer. Deixar de fazer. Avançar, recuar, parar, fustigar, perseguir.

Tudo já tinha um preço quando ele rastejava pela lama congelada, em Pequim, durante o treinamento que deveria durar seis meses e acabou durando mais de um ano. Quando assistia, à noite, às aulas teóricas de política, traduzidas por dois camaradas chineses que ele apelidou, em segredo, de Ping e Pong, vício do bom humor que naqueles tempos era quase uma doença e não o largava de jeito nenhum, nem na mais fria noite de inverno chinês e com assuntos-sérios em questão.

Tudo já tinha um preço quando, na viagem de volta, o grupo de quinze militantes se desmembrou para chegar ao Brasil.

Dizer que tudo já tinha um preço já tinha um preço.

Chico entrou no Brasil pela fronteira com a Bolívia, a pé, depois de passar pela Europa. Fez escalas em várias cidades brasileiras. Esteve com sua mãe em Goiânia, sua mãe costureira e viúva e infinitamente preocupada com aquelas coisas nas quais seu filho andava metido e não adiantava ele dizer que fazia aquilo por ela, também, com seu melhor tom de voz maoista. Por mim, ela dizia, você arranjava um emprego, se casava, me dava um par de netos (não maoistas, poderia ter acrescentado), fazia churrascos (idem) aos domingos e não sumia sem mandar notícias durante tanto tempo.

Ela não sabia das armas, não sabia de Pequim, e só desconfiava que os sumiços do filho tinham alguma coisa a ver com política. Pior do que isso, com os comunistas, aqueles homens barbudos e inflamados. Ela não sabia que seu filho era um deles. Barba à parte.

Chico se reuniu depois com a cúpula do partido, trabalhou no interior da Bahia por uns tempos e chegou a São João do Araguaia, no Pará, num dia de verão, três anos depois de ter embarcado naquele avião rumo a Pequim.

O Pará é um país inteiro. Tem tamanho de país. Dentro do Pará caberiam quase duas Franças. Três Japões. Duas Espanhas e uns trocados. Mais de mil e seiscentas Cingapuras. Naquela imensidão ao norte do Brasil, que o próprio Brasil ignorava, viviam dois milhões de pessoas quando Chico pôs ali os pés pela primeira vez.

Chovia sobre a terra, enlameada e escorregadia, onde os sapatos se enterravam e ficavam grudados, depois ele levantava a perna e na sola vinha um grumo de lama sobressalente.

Chovia sobre o rio, o Araguaia, o Rio das Araras.

Chovia na mata: a Amazônia brava e sobre-humana que, acreditavam os comunistas, seria amiga da guerrilha, seria o inferno dos militares – uma *área fértil para a semeadura da subversão*, como concluiria um relatório do Exército.

A chuva colava as roupas de Chico no corpo, colava seu cabelo na testa.

Ele olhou para o lado e mesmo que isso não fosse cem por cento adequado ao momento decidiu achar graça da água escorrendo pelo cabelo preto e liso da moça que tinham ido buscar de carro em Xambioá, junto com ele, para levar até aquele pedaço de lugar nenhum aonde agora chegavam, estranhos entre si, estranhos para os outros, estranhos ao lugar, estranhos, ponto.

Ele decidiu rir da chuva grossa da floresta pendurada nos cílios dela e que a obrigava a piscar muitas vezes os olhos.

E ela acabou rindo também, mesmo que isso não fosse cem por cento adequado ao momento. Riu da camiseta de malha suja e surrada grudada no peito do garoto magro, e riu por não saber de nada, nem que lugar era aquele, nem o que exatamente ela faria ali sob o nome genérico de treinamento de guerrilha, nem de onde vinha aquele garoto magro. As mãos dele eram calejadas. Os braços dele eram duros. As mãos dela eram mãos finas de estudante carioca, bem mais acostumada aos livros do que à selva. Na bolsa ela havia levado, em segredo, um frasco de esmalte e outro de acetona. E um punhado de algodão.

A moça descobriria que Chico sabia manejar a enxada. Que era bom com as armas.

E com outras coisas.

Quando o inimigo avança, recuamos. Quando para, o fustigamos. Quando se cansa, o atacamos. Quando se retira, o perseguimos.

A moça usava o codinome de Manuela. Tinha saído do Rio de Janeiro sem saber qual o seu destino final. Quando chegou na mata, deram-lhe um facão e um revólver. Ela moraria numa casa rústica junto com um grupo que incluía o rapaz magro. Era a base guerrilheira da Faveira, Destacamento A.

Ela aprenderia a dormir em rede, manejar o revólver e trabalhar na lavoura. As mãos finas deixariam de ser finas. O esmalte e a acetona nunca seriam usados. Ela ajudaria a montar uma pequena escola num vilarejo próximo e começaria a dar aulas ali. Aprenderia a gostar e depois a gostar muito do garoto magro, que não era um garoto, que tinha vinte e cinco anos, dois a mais do que ela (muito bem, mas ele parecia um garoto).

Um dia ele lhe contou de Pequim, da lama congelada, das crianças brincando na neve, da ópera, das fazendas e fábricas que visitou (muito bem, mas ele parecia um garoto).

No meio da mata, os vizinhos eram os posseiros: gente fugida da seca dos estados do Nordeste, onde faltava a riqueza que caía ali com sobra, a água da chuva que enlameava o chão, que grudava nas solas dos sapatos gastos de Chico e que escorria pelos cabelos maltratados de Manuela, sem glamour nem nada, caía como só a chuva amazônica sabe cair. Uma chuva chuva mesmo, se esparramando inteiramente na palavra, em cada letra, em todas as ideias preconcebidas que você pudesse ter da chuva, alagando-as, empenando-as, encharcando-as e vazando pelas frestas, mostrando-lhe que se até então você tivesse dado o nome de chuva a qualquer outro fenômeno meteorológico seria preciso repensar. Reconsiderar.

Os posseiros chegavam, ocupavam um pedaço de terra no meio daquelas terras sem dono. Derrubavam algumas árvores, construíam um barraco onde morar e iam ficando.

Os posseiros agradeciam a chuva à chuva, aos deuses da chuva, a qualquer coisa ou qualquer ser, imaginário ou não, de ordem física ou metafísica, que significasse aquilo: a água sem economias, a terra onde colhê-la.

Dali a pouco mais de um ano, o general Médici plantaria uma placa de bronze no tronco de uma árvore no município paraense de Altamira, inaugurando a grande estrada, que entraria para a história como a mais faraônica das obras públicas concebíveis pelo regime militar. A placa dizia: *Nestas margens do Xingu, em plena selva amazônica, o Sr. Presidente da República dá início à construção da Transamazônica, numa arrancada histórica para a conquista deste gigantesco mundo verde.*

Nesse dia, fazia quarenta graus. O general tinha hasteado o pavilhão brasileiro numa árvore (tudo era improvisado por ali, ao que parecia) e ouvido uma banda militar tocar o hino nacional, após ser recebido pelos três mil habitantes de Altamira. Depois, a derrubada de uma árvore de cinquenta metros deu início às obras da futura rodovia. O presidente estava bastante emocionado.

Seu ministro dos Transportes também andava feliz. Ele tinha uma menina dos olhos e essa menina dos olhos era uma ponte: além da estrada fatiando o Brasil desde o Atlântico até a fronteira do estado do Acre com o Peru, o coronel Andreazza construía no Sudeste do país, entre o Rio de Janeiro e Niterói, sobre a baía de Guanabara, o tal elo planejado havia quase um século. A ponte tinha uma vantagem enorme sobre a estrada: ela seria concluída. E aquelas obras não se inauguraram no meio da selva, mas sim, felizmente, na civilização, e com a presença de dois expoentes do que de mais civilizado poderia existir no mundo civilizado: a rainha Elizabeth II e o príncipe Phillip.

Morreu muita gente na construção da ponte Rio-Niterói. Diz a lenda que os mortos ficaram lá mesmo, no fundo da baía, e a obra se ergueu por cima dos seus corpos. Se a lenda é verdadeira, quem cruza a ponte cruza um triste cemitério informal onde cadáveres convivem com peixes e concreto. Aos seus ouvidos impotentes, ensurdecidos, chega o rumor do trânsito lá em cima e a vibração leve da estrutura pesada. Em seus pensamentos interrompidos ecoa a memória do cheiro salgado do mar e do cheiro salgado do ar úmido da baía, cortado por gaivotas e aviões. Com lendas ou sem lendas, a ponte chegou ao fim, entre todas as perfurações no subsolo oceânico e as outras monumentalidades adequadas ao maior país da América do Sul.

Em Altamira, o toco de árvore com a placa de inauguração da Transamazônica é conhecido como Pau do Presidente. Cresce um pouco de mato por cima dele. Lá perto fica o município de Medicilândia, mas boa parte dos moradores não sabe quem foi Médici.

Para mim, ele era (mais) um nome num livro de história, num rol de presidentes passados que a gente tinha que decorar. Alguém que havia mandado no Brasil quando minha mãe ainda era uma criança. Quando eu ainda não era nem uma ideia, nem um desejo, nem um perigo, quando eu ainda nem estava de senha em punho esperando que me dissessem, vá, é a sua vida agora, começa em cinco minutos.

Era como se Fernando e eu viéssemos de países distintos.

* * *

Em quarenta anos, uma quantidade inimaginável de coisas pode acontecer. Uma fração delas acontece de fato. Pessoas nascem, morrem, cantam canções chamadas "Me & Bobby McGee", deixam de cantá-las, mais pessoas nascem, mais pessoas morrem, várias somem do mapa sem deixar traços. Transamazônicas iniciadas com pompa jamais são concluídas, e o tamanho da ferida pode ser visto até do espaço. Jipeiros e motoqueiros se aventuram com frequência por ali, em busca de lama e emoções fortes. Seleções de futebol sagram-se tricampeãs, depois tetracampeãs, depois *pentacampeãs*, sabendo que isso ainda não é tudo e que a história continua. Acontecem eclipses. Maremotos, terremotos e furacões revolvem muitos pontos do planeta. Florestas Amazônicas começam a ser desmatadas, organizações não governamentais são criadas em sua defesa. Florestas Amazônicas continuam sendo desmatadas à ordem de uma Bélgica por ano para, basicamente, a criação de gado. O milagre da transubstanciação da floresta em bife. (Soja? Também se transubstancia. É exportada e vira ração para o gado nos países ricos.)

Em quarenta anos, garotas com o nome de Evangelina aparecem no mundo. Crescem diante do mar de Copacabana. Não desconfiam de quase nada. Nunca viram eclipses. Nunca testemunharam maremotos nem terremotos nem furacões.

Também não sonham com Amazônias úmidas onde um dia guerrilheiros comunistas se embrenharam, se molharam, se sujaram, se apaixonaram, deram tiros, levaram tiros, foram presos, levados para sessões de tortura e depois de mortos enterrados por aí.

E é num belo dia de inocência plena, um desses dias azuis do Rio de Janeiro, bem longe de Altamira e São João do Araguaia, um desses dias em que a cidade acorda e se olha no espelho e decide ok, hoje vou sair de cartão-postal, é num dia assim que a mãe de uma dessas Evangelinas chega perto de sua filha e faz uma confidência, com calma e seriedade.

Começa assim:

Vanja, vamos na rua tomar um sorvete.

Vanja pula da frente da televisão. Aperta o botão para desligar o aparelho que já está bem velho e por isso tem uma mancha lilás no canto superior esquerdo. É como se adoecesse, a pobre televisão. Um dia aquela mancha vai se espalhar por toda a tela e o mundo televisionado ficará uniformemente lilás.

Suzana, a mãe, fala pouco. As duas vão para a rua tomar sorvete. Vanja quer um dos sabores novos, aquele de doce de leite e cobertura de chocolate com amêndoas. É um dos mais caros, mas Suzana diz que tudo bem. (Estranho. Vanja desconfia.)

As duas andam até o calçadão. Passam pelo mendigo que mora com seu cachorro na esquina da Duvivier. O cachorro abana o rabo. Vanja gosta do cachorro. Suzana não. Suzana faz parte daquele percentual da humanidade que prefere os gatos aos cachorros e John Lennon a Paul McCartney.

Tem uma coisa que eu preciso te contar, diz Suzana, quando elas se sentam num banco diante da praia, a tarde esticando as sombras elásticas das duas na direção do mar. O mar tem um ímã que puxa as coisas, e as pessoas, e suas sombras. Às vezes regurgita despojos. Às vezes não.

Vanja tem onze anos. Suzana, trinta a mais.

Num saquinho de papel se embaralham nomes e palavras: *Albuquerque, Copacabana, Londres, Araguaia, LIFE. IS. GOOD. Amazônia Colorado Guerrilha. Texas. Namorado Americano Lugar Nenhum.* Algumas das palavras dizem respeito ao presente, outras vêm do passado, outras podem pertencer a algum futuro. Estão ali, confundidas. É um saquinho de papel que Vanja vai levar, sem saber, na mala com as coisas importantes, quando fizer sua viagem de volta ao país onde nasceu e onde o grito de ordem a-vida-é-boa se escreve assim: *life is good.* As palavras e os nomes dentro do saquinho aos poucos se destacam de Suzana, lhe pertencem cada vez menos. Tanto que ela nem as menciona, embora saiba que estão ali.

A coisa importante que ela precisa contar à filha é a única inteiramente previsível, só que vai acontecer um pouco antes da hora. Ela explica. Fala. Depois ouve. Responde a todas as perguntas.

As perguntas não acabam, até que acabam. E com elas a tarde cartão-postal e a necessidade de respostas.

Tudo vai ser como antes, Suzana diz, depois de algum tempo. Vanja quer mergulhar até o fundo do mar onde os moluscos estranhos de cor estranha vivem suas vidas estranhas.

Naquela noite, ela e a mãe não se despedem.

Posso dormir na sua cama, Vanja pergunta.

Suzana diz que sim. Na hora de dormir, está usando uma camiseta branca sem sutiã e Vanja nota os bicos dos seios dela por baixo do tecido. Leva as mãos ao seu próprio peito. Quase nada, ainda, além de um leve inchaço que ela não sabe se existe de verdade ou se é autossugestão. Ela acha sua mãe bonita, mesmo que ela tenha rugas ao redor dos olhos e a pele sob o queixo começando a ficar meio solta. Ela abraça sua mãe, com todas aquelas rugas, com os depósitos de gordura nos locais indesejáveis, quando as duas se deitam na cama para dormir.

Tudo vai ser como antes.

Nada vai ser como antes e elas sabem.

Minha mãe me explicou tudo nesse dia, diante das nossas sombras esticadas sobre o calçadão de Copacabana, em direção ao mar, na entrada da baía. Dentro da barra tem uma baía que bem parece que a pintou o supremo pintor arquiteto do mundo,

Deus Nosso Senhor, palavras do padre Fernão Cardim, o jesuíta português, cinco séculos antes.

Minha mãe falou com calma, com cuidado e seriedade, e eu guardei a informação como uma peça de roupa que você só usa de tempos em tempos – um cachecol, por exemplo, em pleno Rio de Janeiro – mas que sabe estar ali, no fundo do armário, à sua espera.

Ela sabia que eu precisava daquela informação. E ela própria não ia se perdoar se não me contasse em primeira mão o que seria evidente e autoexplicativo muito em breve. Se eu me inteirasse dos fatos não através dela mas de sua doença, aquela visita inconveniente sentada no sofá falando de assuntos desagradáveis. Aquele manancial de gafes. Seria uma espécie de traição se a doença me chamasse a um canto e dissesse, com seu copo de uísque na mão: ei, vem cá, você sabia que...?

Minha mãe sempre me respondia a todas as perguntas, de modo que a censura ficava sob minha responsabilidade: se eu não quisesse saber alguma coisa, que não perguntasse. Nem sempre foi uma decisão fácil. Em alguns momentos eu preferiria não ter toda aquela autonomia sobre a minha própria maturidade. Preferiria que certas escolhas já viessem feitas de fábrica, com um rótulo de faixa etária apropriada. Feito os filmes no cinema. Mas minha mãe era minha mãe.

E assim era e assim foi, até o ano seguinte. Fiz doze anos. Meus seios pularam de repente dentro da blusa, como funcionários atrasados para o trabalho. Minha mãe morreu como avisou que ia morrer e não demorou como avisou que não ia demorar e depois disso nada mais foi como antes, como ambas sabíamos que não seria.

Foi num mês de julho. E se o ano seguinte ficou desabrigado, não devia haver nada de estranho nisso. Existia uma luta ali, uma guerrilha interna: não ter pena de mim mesma, apesar de todos os diminutivos que ouvia, ao meu redor, vindos de bocas levianas – coitadinha, pobrezinha e afins.

Eu não me sentia nem coitadinha nem pobrezinha. Uma coisa havia acontecido, e essa coisa tinha dois aspectos distintos dependendo da forma como se olhasse para ela. Minha mãe também havia me explicado tudo isso.

Podia ser um monstro antediluviano de tristeza, algo maciço e insuportavelmente pesado, patas de chumbo, bafo de enxofre e cerveja, algo que me agarrasse e amordaçasse, que me reduzisse a um coração batendo por falta de alternativa. Eu ia arrastar por aí um par de pés burocratas e um par de olhos burocratas, fitando lugar nenhum, com as roupas meio tortas sobre o corpo e o cabelo melado sobre a testa.

Ou podia ser um acontecimento entre os inúmeros acontecimentos que pipocam no mundo a todo instante, e ao mesmo tempo há um resto de neve entre os cactos numa montanha no Novo México, e uma criança em Jaipur deixa cair um prato no chão e o prato se quebra, e um gato espirra em Amsterdã e uma formiga se desequilibra sob uma folha no *outback* australiano e garotos picham um muro no Rio ou em Nova York ou em Bogotá. E minha vida ia seguir em frente, porque eu mandava nela, e não ela em mim.

Ou podia não ser nada disso e eu só precisava de um nicho de quietude, de não acontecimentos, um momento duradouro, comprido, um momento que tivesse o tamanho de muitos momentos, tantos quanto fossem necessários, que me deixasse quieta, sem ter que dar nomes às coisas a que eu não queria dar nomes.

Ficar ali. Parada. Como se eu tivesse me transformado num vaso com flores de plástico em cima de uma estante. Daquelas que não requerem cuidado algum. Daquelas que não têm beleza, qualidade, singularidade, cheiro, nada. Algo que pode existir no mundo com a cortesia da indiferença recíproca. Assim: eu não te encho o saco, você não me enche o saco.

E na escola as pessoas eram gentis e solícitas e me olhavam com olhos de chá de caridade. E eu passava por elas e elas talvez se perguntassem o que eu estava pensando, sem condições de imaginar que eu não estava pensando nada. Que eu não queria pensar nada. Que eu não queria seus cartões nem flores, nem que me dispensassem das provas, que eu só queria que fingissem que eu era transparente, e se possível que passassem através de mim sem se dar conta.

Fui morar com Elisa, a irmã de criação da minha mãe, e ela entendeu. Foi a única. Elisa me deixou emagrecer o quanto eu quisesse, dormir o quanto eu quisesse e ter insônia o quanto eu quisesse. Elisa me deixou não falar o quanto eu quisesse. E me deixou comemorar o meu aniversário de treze anos com os nossos vizinhos octogenários e depois levar um pedaço do bolo para o mendigo da Duvivier e seu cachorro. Eu me agachei ao lado do mendigo e de seu cachorro e notei que o mendigo tinha olhos castanhos e o cachorro tinha olhos verdes e nos olhos de ambos se situavam coisas sobre as quais eu nunca tinha lido em enciclopédias.

Elisa me ajudou quando, num dado momento, eu disse quero telefonar para o Fernando.

Que Fernando, ela perguntou, se esquecendo de quem era aquela pessoa, e portanto sem desconfiar da importância que havia passado a ter na minha vida.

Fernando, o ex-marido da minha mãe, eu disse.

Ninguém sabia do Fernando. Alguém achava que ele ainda estava morando nos Estados Unidos, onde era entregador de pizza ou trabalhava numa lanchonete vendendo, quem sabe, hambúrgueres amazônicos. Ou fosse lá o que fosse que os imigrantes brasileiros faziam nos Estados Unidos. Talvez jogasse golfe ou praticasse esqui nas horas de folga. Talvez usasse uma camisa florida em Miami ou óculos escuros de grife em Los Angeles. Alguém achava que o tinha visto outro dia mesmo na praia do Leme (envelhecido, barrigudo).

Toda uma rede de contatos, de fulano-conhece-sicrano-irmão-de-beltrano-que-era-amigo--do-Fernando, se estabeleceu. Metade do posto dois, em Copacabana, estava agora mobilizada em busca do Fernando.

Não podia ser assim tão difícil localizá-lo, e ele era a pessoa – a única pessoa – que poderia me ajudar. Mesmo quase duas décadas passadas desde que ele e minha mãe tinham se separado, e que ela havia desaparecido da vida dele, como gostava de fazer com todos os homens.

Era uma questão de responsabilidades pessoais. Minhas responsabilidades pessoais. E a inclusão do Fernando como personagem numa história que a princípio não tinha nada, ou quase nada, a ver com ele. Mas que acabou sendo dele tanto quanto minha.

Um belo dia o nome dele surgiu assim, imagem penetra surgindo num sonho, e a memória que eu não tinha veio a reboque, onde estaria o Fernando, aquele Fernando dos velhos tempos, de cujo rosto para dizer a verdade eu não me lembrava (e nem tinha como me lembrar), quem seria ele hoje, quantos anos teria.

A rede de informantes foi apertando o cerco. Fernando tinha seus cinquenta e tantos anos e morava em Lakewood, um subúrbio da cidade de Denver, no estado do Colorado, longe do mar, de todas as praias, no Oeste dos Estados Unidos da América.

Fui ver no mapa. Gostei do nome Colorado. Era um estado retangular ladeado por outros estados retangulares. No mapa, havia montanhas em formato de fungos cruzando o Colorado de norte a sul. Sombras verdes indicando florestas e uma grande mancha marrom indicando a planície. Para chegar ao mar e suas conchas eu podia ir até a Califórnia ou até o Golfo do México. Parecia um pouco longe.

Elisa brigou comigo, depois parou de brigar. Já fazia tanto tempo que não tínhamos contato nenhum com o Fernando. Minha mãe tinha sido casada com ele, sim, mas quando assinaram os papéis ela era tão estupidamente jovem. E era preciso pensar, pensar bem. Se o meu propósito não seria, digamos, despropositado. Mas num dado momento ela me olhou de frente, nos olhos, e suspirou.

Minha bisavó foi mãe aos treze anos, eu disse a ela.

Espero que você não esteja pretendendo fazer a mesma coisa.

Com a minha idade minha mãe já sabia dirigir, falei. Ela aprendeu na caminhonete do pai dela. Quer dizer, do seu pai. Do pai de vocês duas. Quer dizer.

Conseguiram o endereço do Fernando, mas não havia jeito de conseguir seu telefone. Pelo visto, ele não estava na lista. Talvez ele não tivesse telefone? Então escrevi a carta, torcendo para que ele ainda morasse no número 94 da Jay Street.

Antes de abrir o envelope, Fernando não ia se dar conta de quem era a pessoa dona da mão por trás da letra redonda, com bolinhas vazadas em vez de pingos nos is. E o sobrenome era comum demais para acionar de imediato as molas do passado na memória e toda a engrenagem do reconhecimento e produzir um fruto experimental.

Ou então ele podia ser fulminado pela lembrança instantânea, que pularia dentro do seu peito e faria com que ele levasse a mão à cabeça e tirasse, num gesto de reverência, seu boné do Colorado Rockies da cabeça, revelando um pedaço de careca perfeitamente circular. Eu nunca soube. Ele nunca me disse.

Escrevi no envelope de beiradas verde e amarela nosso nome e endereço – o dele, Fernando, o destinatário, em sua casa em Lakewood, Colorado, e o meu, Evangelina, a remetente. A carta seria postada no Brasil, distante primo americano do sul que tão pouco em comum tinha com o primo americano do norte, fora os cacoetes das dimensões continentais de cada um.

Levei o verde e amarelo das bordas do envelope brasileiro até a agência do correio na Ronald de Carvalho, atestei que ele estava sendo selado e carimbado, paguei pelo processo e comecei a esperar ali mesmo, apoiando o queixo nos dedos entrelaçados das mãos, o nariz quase encostado no vidro gorduroso do guichê.

O próximo, disse em voz mole a funcionária, esticando o *o* por cima da minha cabeça, para além da minha ansiedade, e encaminhando um par de olhos de bagre ao homem que estava na fila às minhas costas.

Entre os ecos dessa vogal gorda se ouvia: vá embora para casa, menina boba, sua carta já foi postada.

Ursus arctos horribilis

Em agosto, passei a ir de vez em quando com Fernando até a Biblioteca Pública central de Denver, onde ele trabalhava como segurança. Andávamos um pouco, pegávamos o ônibus, andávamos mais um pouco até o quarteirão limitado pela Broadway, a Bannock Street e as avenidas treze e catorze. O Saab 1985 vermelho ficava em casa. Era caro estacioná-lo nos arredores da biblioteca.

Logo de imediato descobri que detestava ler livros em inglês (as aulas que minha mãe me havia dado não chegaram a incluir livros), que tinha uma dificuldade considerável para fazer isso, que falar e entender razoavelmente uma língua não são garantia imediata de fluência ou de prazer na leitura, mas que teria que encarar.

De todo modo teria que encarar, na escola, então que já chegasse lá menos marinheira de primeira viagem. Eu falava inglês. Eu entendia inglês. E as pessoas iam ter que tirar o chapéu para mim.

Escolhia livros desconhecidos pelo título. Vários largava no primeiro capítulo. Os que me interessavam, levava para casa, e continuava a leitura nas horas em que não estava ajudando na limpeza ou na cozinha (o que não requeria muita ajuda, pois quase tudo que o Fernando comprava era semipronto ou congelado), ou andando de patins pela vizinhança ou só vendo televisão – minha rotina VIP.

Veja televisão, disse Fernando. É bom para pegar o inglês.

A televisão dele não tinha manchas lilases. Eu ia acompanhando de modo febril. Tentando capturar todas as gírias. No fim de uma hora estava com dor de cabeça. Ler não era um bom analgésico. Lavar panelas e aspirar a sala às vezes era. Limpar os vidros.

Eu gostava de limpar os vidros da casa do Fernando e lamentava que não houvesse mais, como seria bom se a casa fosse envidraçada do teto ao chão. O ruído do papel úmido no vidro era reconfortante, aquilo era da ordem das coisas práticas, das coisas úteis, honestas e sem nenhuma grandiosidade. Aquela era uma atividade boa e simples. Minha mãe teria aprovado. Minha mãe estaria limpando os vidros também, se estivesse ali.

Imaginei-a casada com Fernando – era um pouco difícil, a imagem, mas me esforcei, e alguma coisa se produziu. Pensar em minha mãe e Fernando casados era quase como assistir a um filme: duas pessoas inteiramente estranhas, contracenando numa época em que eu nem existia, com gestos estranhos e já fora de moda, até que um diretor dissesse corta. Duas pessoas que viveram juntas durante o tempo de uma sessão de cinema.

Algumas vezes por semana Fernando saía, fora de seu horário de trabalho na biblioteca, para fazer faxina. Uma boa maneira de complementar o orçamento, ele explicou. Fico três horas na casa da pessoa e embolso setenta dólares. Livres de imposto. E ninguém me perturba, nessas horas sou meu próprio patrão e a coisa toda se passa entre mim e o carpete, entre mim e as janelas, entre mim e as pias e privadas e azulejos do banheiro. Não é mau.

Eu achava que Fernando não gostava de gente. Como segurança, na biblioteca, ele mantinha sempre aquele ar profissional e distante – o que não deve ser muito difícil, imagino, quando você é segurança. As pessoas não ficam se aproximando de você para bater papo. Ele usava aquele uniforme que impunha respeito, algo oficial e imbuído de poder, e os braços fortes por baixo do uniforme, e a cara de poucos amigos arrematando tudo.

Eu ficava pensando no que Fernando devia ficar pensando durante aquelas horas e mais horas ali parado, sem falar com ninguém. Nas outras horas, seus interlocutores eram carpetes, janelas e privadas. Ele tinha seu próprio equipamento, o aspirador de pó, os produtos mais eficientes, um kit desenvolvido após anos de prática. Colocava tudo na traseira do Saab vermelho e seguia para mais algumas horas de não interação com a humanidade.

Diante disso, a relação dele com minha mãe saía, para mim, do âmbito da sala de cinema e virava uma nuvem de ectoplasma brotando das narinas de um médium. Ou seja, um fenômeno sobre o qual eu havia ouvido falar mas no qual não conseguia acreditar de verdade. Ela gostava de festas e gostava de pessoas, gostava de cozinhar para um monte de gente e de receber hóspedes em casa, gostava de dançar. Gostava de colocar a cabeça para fora do Fiat 147 e cantar "Me & Bobby Mc-Gee" aos berros. Como era possível que tivesse se interessado algum dia por aquele cara?

Fiz a pergunta num gesto de ousadia, durante um jantar (tinha aquela comida ao estilo de Nova Orleans, já vinha tudo misturado e temperado na caixinha e bastava acrescentar água e ferver durante vinte e cinco minutos e eu já era expert no preparo): Você mudou muito, desde quando era casado com a minha mãe?

Ele deu de ombros.

Ninguém muda. A gente só vai se acostumando com as coisas. Vai se adaptando.

Ele disse isso sem amargura. Fernando me parecia bem do jeito que estava. O que podia indicar duas coisas: que ele estivesse bem do jeito que estava. Ou que fosse um mentiroso de talento, do pior tipo – aquele que mente para si mesmo, e com tanta convicção e empenho que acaba acreditando, e depois quando conta sua mentira para os outros pensa, de fato, estar dizendo a verdade.

Mas essa foi uma suposição feita meses depois. Eu ainda não conhecia Fernando o suficiente para pensar outra coisa além de que aquele papo no jantar era conversa mole. Que minha mãe nunca teria se interessado pelo Fernando se ele fosse, aos trinta e seis anos, aquele homem que parecia ser aos cinquenta e tantos. Que aquela história de que ninguém muda etc. era frase de efeito para botar em discurso. Que um dos dois certamente tinha mudado, sim, e muito, e eu desconfiava que não havia sido minha mãe.

Mas ela não estava ali para confirmar, então fiquei quieta. Outra coisa que ela havia me ensinado era a não me meter onde não era chamada.

O que eu seguiria à risca com ele.

No início, pelo menos.

Quando Fernando telefonou para a casa de Elisa e pediu para falar comigo, provavelmente já tinha tido tempo de ensaiar as palavras. Já tinha tido tempo de mastigar, engolir e digerir as informações da minha carta, que eram muitas, e sérias.

Eu o imaginava chegando em casa no fim de uma tarde comum e pegando a correspondência na caixinha fincada no pequeno jardim – aquela caixinha de correio que eu só conhecia dos desenhos animados.

Um envelope de beiradas perigosamente brasileiras, verde e amarela, em faixas curtas laterais. Do lado de dentro, notícias sobre a mulher com quem ele havia sido casado durante seis anos e que não via e com quem não falava e de quem não tinha notícias fazia tanto tempo a ponto de, talvez, se questionar se ela havia existido de fato.

Havia existido de fato, minha carta dizia, mas já não existia, pelo menos não da forma como tendemos a formular a existência dentro dessa substância esponjosa que carregamos em cima do pescoço. Eu conseguia pensar em pelo menos uma maneira através da qual minha mãe continuava existindo um pouco, e para atestar isso bastava tocar minha própria pele. Nada de particularmente transcendental ou esotérico ou místico, nada de médiuns espirrando ectoplasma: minha própria pele. Eu mesma. Era ela, um pouco, não era?

Talvez Fernando pensasse parecido. Ele me ligou e lamentou muito as notícias e perguntou como eu estava com certa desenvoltura excessiva, talvez ensaiada. Depois falou de sua vida o necessário, onde trabalhava (como segurança na Biblioteca Pública de Denver), que morava sozinho e que sim, poderia me receber por algum tempo até – até as coisas estarem resolvidas, ou encaminhadas.

Nenhum de nós sabia como as coisas iam se resolver, nem mesmo como iam se encaminhar, ou como íamos encaminhá-las, porque sem um gesto era certo que tudo ficaria do jeito que estava. Mas eu iria para a escola pública em Lakewood por algum tempo e ele me ajudaria naquilo que estivesse ao seu alcance.

Conforme fosse, bem, conforme fosse eu voltaria para o Brasil depois. Para a casa de Elisa em Copacabana. Curioso como as pessoas centrais da minha vida agora eram todas periféricas. A tia de criação. O ex-marido da minha mãe.

Não sei se Fernando tinha condições de adivinhar, naquele momento, naquele telefonema trans-hemisférico, quanta coisa estava ao seu alcance. Ele ficaria surpreso. Mas o futuro era (e é, e sempre será) móvel, fruto de bifurcações em progressão geométrica, e fazer planos, eu já desconfiava, um cacoete de constrangedora inutilidade.

Tenho algum dinheiro, eu disse. Minha mãe deixou. Não é muito, mas dá para ajudar em alguma coisa.

Onde come um comem dois, ele falou. A escola é pública. A gente se vira.

Você é corajosa, Elisa me disse, quando desliguei. E eu devo ser maluca.

Eu olhei para ela e não disse nada mas pensei muita coisa, não era preciso ter coragem para fazer o que eu estava fazendo. Seria preciso ter coragem, isso sim, para ficar parada onde eu estava, ponto fixo no espaço, acalentando como a um animalzinho doente a ideia de que nada tinha mudado, de que nada era diferente, caminhando pelas mesmas ruas, alimentando os mesmos hábitos, me fingindo.

E se eu fosse com você. Vou com você, ela falou.

Olhou para o lado, apertou as próprias mãos.

Não dá, não posso ir com você. E o meu trabalho, como é que fica? Acho melhor você esperar mais algum tempo. Um ano ou dois.

Eu continuava em silêncio.

Hoje sei que se não tivesse feito o que fiz eu ia me solidificar naquela vida, um osso que cola torto. Era aquela a brecha que previa o impulso, o momento certo de pular clandestina dentro do trem de carga quando ele passa, se fosse essa a única maneira de sair por aí, e se fosse necessário sair por aí. Não havia nisso nada remotamente semelhante a uma suposta irresponsabilidade ou coragem ou espírito de aventura.

Não era uma aventura. Não eram férias nem diversão nem passatempo nem mudança de ares, eu ia para os Estados Unidos me hospedar com Fernando com um objetivo bem específico em mente: procurar meu pai.

Quem procura algo ou alguém tem, basicamente, dois resultados possíveis no horizonte: encontrar ou não encontrar.

Eu sabia disso. Mas quando tomei minha decisão e escrevi a carta para Fernando e aguardei já com minha única mala pronta seu telefonema e depois entrei no avião que voava para noroeste, nesse momento encontrar ou não encontrar meu pai eram ainda somente isso, duas possibilidades do mesmo tamanho, e eu lidaria com o que tivesse que lidar no momento certo.

Elisa suspirou.

Não posso deixar você ir.

Depois ela chorou um pouco.

Sua mãe devia ter reatado com o Fernando quando você nasceu. Tudo bem, ela não queria nada com o seu pai, não era obrigada a ficar com ele, foi só uma aventura, sabe? mas o Fernando era um cara bacana. Tenho certeza de que ela gostava dele.

Ela chorou um pouco mais.

Sua mãe era uma boba. Mania de achar defeito em todo mundo. Ninguém prestava, ninguém servia. Foi por isso que ela acabou sozinha.

E me abraçou, e seu cheiro tinha Notas Vibrantes de Pêssego, Framboesa Dourada e Patchouli, conforme explicado pela propaganda do perfume que ela usava. Eu via sempre na televisão lilás.

Depois ela pegou minha cabeça entre as mãos e afastou o cabelo da minha testa.

O Fernando vai cuidar bem de você. Ele é um cara legal. Sempre foi um cara legal. Sua mãe devia ter voltado com ele. Vou juntar um dinheiro para ir lá te ver no Natal.

Durante os anos que se seguiram àquele verão, conheci famílias inteiras de imigrantes latinos, legais e ilegais, que se sustentavam fazendo faxina.

Não conheci Maria Isabel Vasquez Jimenez, mas ouvi falar dela, a mexicana de dezessete anos que morreu devido ao calor colhendo uvas nos campos da Califórnia, sem que lhe dessem água ou sombra. O mês era maio. O ano, 2008. A temperatura corporal de Maria Isabel chegou a 42 graus.

Fernando era residente legal dos Estados Unidos fazia quase trinta anos, mas nunca tinha pedido a cidadania, ao contrário da minha mãe. Perguntei por que e ele me disse que era porque dava trabalho. Ele complementava o orçamento com as faxinas a setenta dólares. Uma faxina levava de duas a três horas.

No Rio de Janeiro, a faxineira que vinha limpar nosso apartamento em Copacabana uma vez por semana ganhava a metade disso e ficava das oito da manhã às quatro da tarde. Chegava trazendo pão fresco da padaria, que minha mãe reembolsava. Interrompia a faxina para almoçar na cozinha escutando rádio e depois lavava a louça e fazia um café e fumava um cigarro e falava da vida dos outros e tirava um rápido cochilo. De vez em quando pregava um botão numa roupa minha ou fazia a bainha de uma calça (minha mãe era um desastre com agulha e linha). Vinha de ônibus de São Gonçalo e gastava mais ou menos uma hora no trajeto. Antes de passar a trabalhar para clientes particulares como nós, ela limpava o estacionamento de um shopping center na Barra da Tijuca, onde o seu salário mensal não comprava um vestido. O sol era forte. Não sei a quantos graus chegava sua temperatura corporal, mas ela acabou forçada a pedir demissão. Tinha sessenta anos de idade.

Depois de examinar o corpo de Maria Isabel Vasquez Jimenez os médicos descobriram que estava com dois meses de gravidez. Ela colhia uvas para fabricação de vinho.

No Rio, no aeroporto, eu e Elisa comemos pão de queijo e tomamos guaraná. Ela foi admiravelmente forte até doze segundos antes de nos despedirmos.

O agente da Polícia Federal pediu a autorização para viajar e a certidão de nascimento.

Seu pai mora nos Estados Unidos, ele confirmou.

Mora, eu disse, e em princípio não estava mentindo.

Ele é brasileiro, o agente confirmou mais uma vez. Não sei por que ele ficava repetindo as coisas que estavam escritas nos documentos: que eu era filha da sra. Suzana e do sr. Fernando, brasileiros os dois, ela também cidadã americana, e falecida um ano antes, donde minha viagem para os Estados Unidos. Tudo isso era o que constava dos documentos e o que ele confirmou comigo antes de me desejar boa viagem.

Oficialmente, Fernando era meu pai e meu guardião. Quando minha mãe engravidou de meu pai de verdade, um americano, sumiu da vida dele, e quando eu nasci ela telefonou do Novo México para o Fernando, seu ex-marido, que vivia num estado ao norte e seis horas de carro dali, no Colorado.

Naquela época ele não morava em Lakewood, mas em Aurora, outro subúrbio de Denver. Pegou a estrada e no dia seguinte me registrou como sua filha, em Albuquerque. Disse para a minha mãe se cuidar. Pegou a estrada de volta. Fazia então quatro anos que eles estavam separados e possivelmente ele a conhecia bem a ponto de ela não ter que explicar nada:

Que não queria vínculos com o verdadeiro pai da sua filha.

Que não queria sua filha crescendo sem o nome de um pai na certidão de nascimento.

Que não tinha coragem de pedir aquilo a outra pessoa.

Que a vida às vezes era um bocado complicada.

Não tenho ideia do que aconteceu entre os dois depois disso. As informações de que disponho são que mais tarde, naquele mesmo ano de 1988, Fernando foi para Albuquerque passar comigo e com minha mãe o Natal. Ficou hospedado na casa de adobe, que só tinha dois quartos – o meu e o da minha mãe.

Talvez ele tivesse dormido no sofá da sala.

As estradas são uma aventura em dezembro, nessa parte do mundo. Fernando dirigiu muito mais do que as seis horas habituais entre uma cidade e outra na autoestrada I-25. Havia neve e gelo na pista.

Ele deixou para trás Trinidad, ex-residência de Bat Masterson e, naqueles dias, capital mundial da mudança de sexo graças às operações realizadas pelo famoso dr. Stanley Biber. Passou pela placa que dizia BEM-VINDO AO NOVO MÉXICO TERRA DE ENCANTAMENTO e viu pelo retrovisor a placa que dizia BEM-VINDO AO COLORIDO COLORADO, as montanhas Sangre de Cristo a oeste.

Não sei se quando ele chegou em Albuquerque eu dormia em meu quarto algum sono de sonhos pequenos, sonhos do tamanho da minha vida, que cabiam (que cabia) com sobras entre as grades do berço. Não sei se ele e minha mãe se abraçaram com a força da falta que sentiam um do outro, ou que pensavam sentir, ou que precisavam sentir porque em muitos casos a falta faz companhia. Não sei se ele foi para a cama com ela ou se ela apenas preparou uma sopa ou um chá e os dois se sentaram diante da árvore de Natal para tomar a sopa ou o chá e depois ela o ajudou a arrumar os lençóis e o cobertor no sofá da sala.

No ano seguinte ele já não foi para Albuquerque no Natal. E dois anos depois minha mãe e eu voltamos para o Brasil. Era para ser definitivo.

No caso dela, foi.

Um fenômeno curioso acontece quando você passa tempo demais longe de casa. A ideia do que seja essa casa – uma cidade, um país – vai desbotando como uma imagem colorida exposta diariamente ao sol. Mas você não adquire logo outra imagem para pôr no lugar.

Tente: aja como, vista-se como, fale como as pessoas ao seu redor. Use as gírias, vá aos lugares mais frequentados, se esforce para compreender os espaços políticos. Tente não se surpreender a cada vez que vê as pessoas vendendo móveis e roupas e livros usados na garagem de casa (a placa na esquina da rua anuncia a venda: *garage sale*), ou os supermercados oferecendo toneladas de abóboras em outubro e ferramentas para esculpi-las, ou labirintos abertos nos milharais. Finja que nada disso é novidade.

Faça tudo isso, aja como.

Conheci imigrantes brasileiros que tentavam esquecer que eram brasileiros. Arranjavam parceiros americanos, filhos americanos, empregos americanos, guardavam a língua portuguesa dentro da garganta num lugar de difícil acesso e só se orgulhavam de suas origens quando alguém mencionava de modo elogioso o samba ou a capoeira (essa última também, na origem, a luta dos deslocados, dos expatriados, dos arrancados de casa). Ou o *Brazilian jiu-jitsu* dos irmãos Gracie. Fora isso, o Brasil era um lixo. E aliás estava cada vez pior. Cada vez pior. (Vocês não leem as notícias? Viram o que o tráfico fez lá em São Paulo?)

No início, pensei que isso fosse estratégia de sobrevivência. Talvez fosse. Ou talvez fosse apenas permeabilidade. Depois de algum tempo, dá trabalho se manter íntegro. Continuar sonhando em português quando as outras dezesseis horas do seu dia se pautam pelos colegas de trabalho americanos, pelos vendedores americanos, pelo carteiro mexicano que fala inglês com você, pelo rádio americano, pela tevê americana.

Talvez, uma outra hipótese, essa fosse a doença do imigrante latino-americano no Primeiro Mundo: o desespero de abraçar com toda força o país rico e dizer quero um pedaço. Minha história não é só minha. É sua também. Por exemplo: de onde vem sua cocaína? A carne do seu churrasco? A madeira ilegal da sua estante? Sua história não é só sua. É minha também. Nosso *American dream*. Afinal, a América é um naco de terra que vai desde o oceano Ártico até o cabo Horn, não?

Se bem que os brasileiros sempre se colocaram de um modo bem claro nessa história: alto lá, não somos imigrantes hispânicos. Pode olhar para o nosso rosto, a gente inclusive é bem diferente em termos de biotipo e não falamos espanhol, falamos português. POR. TU. GUÊS. (Na escola, eu tinha que preencher um papel com o meu grupo étnico. As opções eram: CAUCASIANO. HISPÂNICO. AMERICANO NATIVO. ASIÁTICO. AFRO-AMERICANO. Onde é que eu ficava nessa história?)

Talvez, hipótese final, tudo fosse apenas cordialidade. Não fica bem você falar na frente dos outros uma língua que eles não compreendem e ser uma pessoa que eles não compreendem. Uma das maiores queixas dos cidadãos americanos contrários à imigração é a de que os imigrantes não aprendem inglês. Mas as pesquisas mostram, conforme estudamos na escola com Mr. Atkins, que é o contrário disso: o inglês é assimilado com muita rapidez, e as línguas maternas dos imigrantes vão aos poucos sendo esquecidas. É um fato e Mr. Atkins não deixou margem para dúvidas, enquanto martelava o dedo indicador na mesa. Mr. Atkins gostava de falar martelando o dedo indicador na mesa, cravando suas afirmações no mundo com força e para sempre.

Cordialidade. Necessidade. Vergonha. Curiosidade. Ambição. Admiração. Vontade de ser igual. De pertencer ao lugar. O que for.

Depois que você passa tempo demais longe de casa, vira uma interseção entre dois conjuntos, como naqueles desenhos que fazemos na escola. Pertence aos dois, mas não pertence exatamente a nenhum deles. Você passa a ter uma memória sempre velha, sempre ultrapassada de casa. As pessoas estão escutando sem parar tal música no Brasil, toca na novela, toca no rádio. Seis meses depois você descobre a música por acaso, gosta dela, e a imensa popularidade prévia parece uma espécie de traição. É como se as pessoas estivessem trocando segredos, e você sempre se surpreendendo com notícias velhas. As pessoas do conjunto A te consideram um ser meio à parte, porque você também pertence ao conjunto B. As pessoas do conjunto B te olham meio de banda, porque você também pertence ao conjunto A. Você é algo híbrido e impuro. E a interseção dos conjuntos não é um lugar, é apenas uma interseção, onde duas coisas inteiramente distintas dão a impressão de se encontrar.

Eu ia, por exemplo, comprar um sanduíche. Fazia o meu pedido com o máximo de esmero, lembrando o inglês perfeito da minha mãe, arrumava cada vogal e cada consoante na minha boca com cuidados de feng shui. Dali a alguns instantes a moça no caixa me perguntava de onde eu era. Caramba: como é que os outros escutam na sua fala algum sotaque, se você não escuta? Meus *rs* eram um recôncavo perfeito da língua, meus *ths* eram um toque suavíssimo no interior dos dentes incisivos da mandíbula superior. O que mais me faltava?

Depois, percebi que a vida fora de casa é uma vida possível. Uma vida entre as muitas vidas possíveis.

Timothy Treadwell resolveu ser um homem-urso e foi morar no Parque Nacional de Katmai, no Alasca. Durou treze verões. No fim, foi morto e devorado por um urso. Encontraram no acampamento a cabeça de Tim, desfigurada. Seu braço com o relógio ainda funcionando. Um pedaço da coluna vertebral. Os restos de sua namorada, Amie Huguenard, também. Isso aconteceu um ano depois da minha chegada aos Estados Unidos. Eu era uma garota de catorze anos e ele um cara de 46. Uma vida possível e uma morte possível.

Fernando saiu de casa e foi estudar técnicas de guerrilha em Pequim, depois se mudou para a base guerrilheira da Faveira, no Araguaia. Isso aconteceu duas décadas antes do meu nascimento. Eram uma vida possível e uma morte possível, as duas tão entrelaçadas uma na outra, como durante os verões de Tim Treadwell. Como durante o último verão de Amie Huguenard, que talvez pensasse em abandonar Tim e suas roupas pretas e seu cabelo de príncipe valente e sua obsessão pelos ursos. Os *grizzlies. Ursus arctos horribilis.*

Fernando já tinha dado tantas voltas depois de sair de casa que já não lembrava mais qual o caminho. Claro: a casa já não estava mais lá, portanto o caminho não podia estar. E não é que a casa estivesse, agora, em toda parte – não, isso é para os cidadãos do mundo, para os que viajam por esporte. Para os que nunca se arrastaram sobre a lama congelada na China e nunca correram o risco de ser devorados pelos ursos no Alasca. Não é que a casa estivesse em toda parte: a casa não estava em parte alguma.

A gente se vira, Fernando me disse, por telefone.

Minhas ex-colegas de escola me mandavam e-mails do Rio de Janeiro, já esquecidas do luto imposto quando eu ainda transitava no meio delas. Como é a vida nos Estados Unidos? Os meninos são mesmo bonitos, louros e de olhos azuis? Você vai conhecer a Disney? Você vai conhecer Hollywood? É verdade que as crianças vão armadas para a escola e de vez em quando saem atirando em todo mundo? É verdade que as pessoas só comem hambúrguer e pizza e só bebem Coca-Cola? É verdade que as americanas são peitudas?

Aditi Ramagiri me peguntava: Como é a vida no Brasil? É verdade que vocês moram no meio da selva? É verdade que é um lugar muito violento e perigoso, uma nação de políticos corruptos e traficantes de drogas? Que língua vocês falam, brasileiro?

Eu perguntava a Aditi Ramagiri: Como é a vida na Índia? É verdade que lá tem um rio onde as pessoas jogam os mortos e tomam banho e lavam as roupas, tudo ao mesmo tempo? É verdade que é a sua família que escolhe com quem você vai se casar? Que língua vocês falam, indiano?

A gente se virava. Eu me virei na escola, na primeira semana, tentando parecer *cool*. E por algum motivo as pessoas decidiram me achar *cool*.

Rio de Janeiro? *That's cool! What the heck are you doing here, dude?*

Eu não podia responder dizendo bem, *dude*, o que estou fazendo aqui, *o que THE* HECK (heck: substantivo: alteração de "hell", inferno, usado como uma leve exclamação indicativa de surpresa, irritação etc. ou para enfatizar alguma coisa) estou fazendo aqui é vendo se consigo encontrar meu pai, ele deve estar por aí em algum lugar, a minha mãe morreu faz um ano e eu vim morar com o ex-marido dela que na minha certidão de nascimento é meu pai mas não é meu pai de verdade.

Então eu dava de ombros e ficava no meu canto mas as pessoas me achavam *cool* e Aditi Ramagiri, que era *popular*, me achou *cool* e nos tornamos amigas e ela me fez ver como Jake Moore era um *loser*.

Quando contei para ela apenas a metade da minha história (a metade materna) ela ficou com os olhos genuinamente umedecidos, me abraçou e me achou ainda mais *cool*. Afinal, não era todo mundo que tinha em sua vida o ingrediente dramático de ter perdido a mãe aos doze anos de idade, e não era todo dia que você topava com a oportunidade de trazer para sua vida esse ingrediente dramático através de uma amiga, sem ter que experimentá-lo na carne.

Certa vez fui com Aditi a um torneio de debate. Ela era do time de debate da escola e quase todo fim de semana tinha que participar desses torneios, durante os quais as pessoas deviam argumentar de modo consistente e coerente a favor de alguma coisa mesmo que fossem, na realidade, contra ela.

Dessa vez, era numa escola particular católica em Littleton. Eu estava esperando com Aditi a sua vez, do lado de fora da sala. Apareceram cinco pessoas. Ao meu lado se sentaram um garoto de olhos puxados e o amigo dele, de olhos não puxados. E na minha frente uma garota de olhos puxados e a estrutura corporal mais estranha que eu tinha visto na vida. Ela era *larga*. Não *gorda*, mas *larga*. Com uma cara *larga*. Usava um vestido. Do lado dela estava uma garota negra com um colar de metal e um pingente em forma de cruz. Do outro lado, uma garota branca com um colar de metal e um pingente que eu não sabia o que era.

De repente a garota de olhos puxados disse ok, eu me atrasei na última rodada de debate porque precisava fazer xixi! e alguém me disse para ir lá perto dos armários, tem um banheiro lá.

E a garota do colar com o crucifixo: tem um banheiro mais perto.

E a garota de olhos puxados, gritando: eu sei! mas me disseram para ir no outro! então eu fui até onde ficam os armários e era um labirinto, e finalmente eu encontrei o banheiro! então, depois que acabei de fazer xixi, saí e olhei para as portas! havia duas portas! a porta pela qual eu havia entrado e outra do lado! e a porta pela qual eu havia entrado não tinha maçaneta pelo lado de dentro e a outra estava trancada! eu não tinha como sair!

Eu queria dizer alguma coisa. Olhei para os lados. Mas quem falou foi Aditi.

Odeio esta escola. Ela é assustadora.

É mesmo? Por quê? A gente adora! Já que vemos Jesus por toda parte e somos católicas.

Bom, em primeiro lugar parece jardim da infância, e em segundo lugar fico o tempo todo achando que vou para o inferno, Aditi falou.

Nós não necessariamente acreditamos no inferno. Olha só os nossos colares! Eu tenho uma cruz.

Eu tenho o Espírito Santo.

Eu nunca entendi direito o que é o Espírito Santo, Aditi comentou, e eu me lembrei das viagens com a minha mãe nas férias de verão.

Bem, disse a garota branca. É bem complicado. É o seguinte, Jesus, Deus e o Espírito Santo são a mesma coisa. Quer dizer, mesmo os nossos mais cultos pensadores e filósofos não conseguem entender isso direito.

Por exemplo, disse a amiga dela. Imagine um elefante com bolinhas verdes. O elefante é Jesus, a alma do elefante é Deus, e as bolinhas do elefante são o Espírito Santo.

As outras riram. Não é exatamente nisso que nós acreditamos.

Uma semana depois entrei para o time de *ultimate*, um esporte que eu nem desconfiava que podia existir, mas para o qual revelei um talento surpreendente. Era jogado com um daqueles discos chamados *frisbee* que hoje em dia não podemos mais chamar de *frisbee* porque algum fabricante registrou o nome.

Como foi que você veio parar aqui, eu me ouvi perguntando enquanto Fernando mexia no encanamento do vaso.

A pergunta se adiava fazia um mês. Quatro semanas durante as quais ele deu telefonemas ao voltar do trabalho, procurou antigos conhecidos que tinham virado desconhecidos, fez perguntas, dublê de detetive. Desconfiou, suspeitou, supôs. E não descobriu nada digno de nota, nenhuma ponta de pista, nenhum miolinho de pão na trilha da floresta. Quem manda as pessoas disfarçarem tão bem sua vida pregressa.

Durante aquelas semanas falamos pouco: do passado, do presente, do futuro. Quando começaram as aulas, em meados de agosto, passei a me aproximar dele para pedir ajuda com os deveres de casa. Era o adulto disponível.

Ele olhava para os problemas matemáticos e coçava a cabeça e suspirava, e dizia acontece que eu aprendi matemática em português, Vanja.

E eu então tinha que traduzir o problema, tinha que ajudá-lo primeiro para que ele pudesse me ajudar em seguida.

O dedo troncudo da mão troncuda sublinhava os números, e naquele quadro doméstico, sentado ao meu lado na mesa com os pratos sujos ainda na pia, com óculos de leitura, Fernando parecia um inseto trocando o esqueleto externo e revelando um interior macio, quase frágil.

Eu ainda não sabia que assuntos ele me permitia. Talvez permitisse todos. Eu tinha mil e duzentas páginas de perguntas sobre minha mãe, sobre ele e minha mãe, sobre meu pai e minha mãe, sobre o Novo México, sobre os esquetes encenados antes que eu nascesse. Por que as pessoas se deslocavam daquele jeito da vida de uma à vida da outra, e mudavam de cidade, e mudavam de país, e adquiriam novas cidadanias ou não adquiriam novas cidadanias. Por que, nesses deslocamentos, antigos amores sumiam do mapa, antigos amores transubstanciados em amizades sumiam do mapa. E pais sumiam do mapa.

Havia talvez um acordo tácito entre mim e Fernando de que no momento era preciso um pouco de silêncio, tínhamos que ser meio monásticos e acatar uma espécie de não ação. Era o tempo de eu me remodelar, quem sabe eu também tinha (devia ter) aquele interior mole e albino de inseto entre um e outro esqueletos externos. Era preciso pegar aquela gosma e, depois de ter conseguido protegê-la da fulminante piedade alheia, moldá-la agora em algum formato com o qual eu me reidentificasse.

Havia estratégias práticas para fazer isso. Eu tinha uma pilha de livros em inglês na minha mesa de cabeceira, autores cujos nomes vinham sempre abreviados em duas letras (às vezes três) precedendo o sobrenome. E não eram só JK ou JRR ou CS. A bibliotecária sugeriu outras iniciais. Livros de gente grande, ela disse. E assim eu também comecei a ler, com o desafio da dificuldade, poemas de WH, TS e WB, que no início pareciam uma outra língua dentro da língua inglesa – alguma coisa cifrada, em código.

Um dia me deparei com um verso, no fim de um poema, que dizia *milhares já viveram sem amor, ninguém sem água*. E achei que aquilo fazia sentido. Achei que a poesia fazia sentido, mesmo quando não fazia, mesmo quando era um torcicolo de palavras.

Eu lia ferozmente, como atleta treinando em época de olimpíada, e ia extraindo dessas experiências a argamassa para aquele novo esqueleto externo. Também assistia à tevê ferozmente.

Mas a pergunta veio de improviso enquanto Fernando mexia no encanamento do vaso e eu olhava, sentada na borda da banheira.

Eu estava ali para oferecer ajuda, como instrumentadora talvez, mas ele não parecia precisar da minha ajuda, então em vez disso ofereci uma pergunta.

Aquela pergunta. Como foi que você veio parar aqui.

Eu achava que ele talvez não quisesse falar do assunto. Fernando não parecia alguém que guardava o passado em álbuns coloridos de fotografias para mostrar às visitas. Ele não olhou para mim.

Sua mãe não te contou.

Minha mãe nunca me falou muito de você. Minha mãe não falava muito das coisas que tinham acontecido na vida dela antes. Antes de mim.

Alguns instantes de silêncio.

Conheci sua mãe em Londres. Eu estava trabalhando num bar e um dia ela entrou nesse bar com o namorado americano. Eles estavam de férias. Em algum momento ela foi até o balcão pegar mais duas cervejas e me disse você não é daqui, o seu sotaque é diferente, e eu decidi que ia roubá-la do tal namorado americano antes mesmo de saber que além de americana como ele ela era também brasileira como eu.

E roubou?

Ele olhou para mim. Não dê descarga por uma hora até secar.

Tudo bem.

Fernando saiu do banheiro, eu fui atrás. Ele abriu a geladeira e tirou uma cerveja.

Foram tempos difíceis em Londres, ele disse. Eu não estava a passeio. Estava lá porque não podia ficar no Brasil. Isso foi bem antes de você nascer. Sorte sua. Foram tempos difíceis.

Deu um gole na cerveja. Eu abri o armário e peguei o saco de biscoitos de queijo sabor extraqueijo que eram cobertos por uma espécie de pó e deixavam meus dedos sujos.

Quer?

Ele pegou um punhado e ficou com os dedos sujos de pó de biscoito de queijo sabor extraqueijo.

É claro que eu roubei a sua mãe do namorado americano dela. Eu estava muito mais empenhado. Ele tinha as coisas como garantidas. Sua mãe era namorada dele, não minha. Portanto, quem tinha que lutar era eu. E foi por causa disso que vim para os Estados Unidos atrás de Suzana.

Era a primeira vez em um mês que ele dizia o nome da minha mãe.

Depois disso, você sabe como é a vida (não, eu não sabia), você acorda um dia e tem cinquenta anos de idade e já perdeu a vontade de fazer coisas, de andar por aí, de procurar um lugar no mundo porque a verdade é que o mundo é uma porra de um lugar selvagem do cacete. Não vale a pena. Não faz diferença.

Ele bebeu mais um gole de cerveja.

Tocaram a campainha. Fernando foi abrir, respondeu com monossílabos durante dois minutos a alguma coisa que uma mulher lhe dizia. Voltou com um folheto que largou em cima da mesa e eu li com o rabo do olho, em tradução simultânea. *Deus realmente se preocupa conosco? A guerra e o sofrimento um dia terão fim? O que acontece conosco quando morremos? Há alguma esperança para os mortos? Como posso rezar e ser ouvido por Deus? Como posso encontrar felicidade nesta vida?* Havia uma foto de um árabe de bigode e um homem branco meio gordinho de óculos e gravata, ambos sentados no chão, as pernas cruzadas sobre um tapete oriental, ambos sorridentes, confabulando sobre uma Bíblia aberta.

Fernando pigarreou.

Desculpe ter dito porra. Eu queria te contar que andei dando uns telefonemas e consegui achar uma antiga amiga da sua mãe que mora em Santa Fé. Ela talvez possa ajudar a gente a descobrir por onde anda o Daniel.

Era a primeira vez em um mês que ele dizia o nome do meu pai. Pela janela aberta, escutei a mulher dos folhetos de Deus conversando com a vizinha de cabelos cor de fogo, que lhe respondia muito alto em seu inglês hispânico.

Peixes

Fernando tinha uma carta, uma só, de Manuela, a moça que conheceu no Araguaia. E que não se chamava, claro, Manuela, como ele não se chamava Chico. O nome dela era Joana. A carta vinha assinada apenas com um M.

Datava do final de 1971. Nem Chico nem Manuela sabiam, mas dali a poucos meses o militante Pedro, que havia abandonado o Araguaia com a mulher grávida, seria preso em Fortaleza ao tentar tirar segunda via de sua carteira de identidade.

Pedro pensava em voltar aos estudos de Direito. Sob tortura na Polícia Federal, inventaria algumas coisas, trocaria nomes (a cidade de Xambioá, por onde os guerrilheiros também transitavam, viraria Xangri-Lá), mas acabaria dando pistas dos locais de treinamento da guerrilha. Seus torturadores já estavam a par, como ele diria mais tarde, da presença do PC do B na região.

Ele seria o primeiro preso na história da repressão à guerrilha. Tentaria o suicídio em sua cela, cortando as veias dos braços. Mas não o autorizariam a morrer.

Pedro e sua mulher, conhecida pelo codinome de Ana, deixaram o Araguaia porque ela engravidou. A orientação do Partido era o aborto. Ela não aceitou, e ele resolveu acompanhá-la. Saíram fugidos, tomaram um ônibus, receberam ajuda de amigos. Depois de viver alguns meses na clandestinidade em Fortaleza, ele teria a ideia de ir até o Dops tirar segunda via de sua carteira de identidade.

As informações arrancadas de Pedro transitariam pelos órgãos de repressão, até que uma rede de pesca seria montada com agentes do Exército, da Marinha e da Aeronáutica. Versões posteriores, dos próprios comunistas, atribuiriam à militante Regina, outra que foi embora do Bico do Papagaio naquele mesmo ano e nunca mais voltou, a responsabilidade pela descoberta da guerrilha pelos militares. Ela teria contado tudo à família, em São Paulo, que por sua vez cantou a pedra ao Exército.

De todo modo, com informações de um ou de outro ou de ambos, era inaugurada a Operação Peixe I.

Andei lendo sobre os peixes e descobri que eles não dormem. Nunca tinha pensado nisso antes, no sono dos peixes. Eles não dormem. *Eles apenas al-*

ternam estados de vigília e repouso. O período de re-pouso consiste num aparente estado de imobilidade, em que os peixes mantêm o equilíbrio por meio de movimentos bem lentos. Como não têm pálpebras, seus olhos ficam sempre abertos. Algumas espécies se deitam no fundo do mar ou no rio, enquanto os me-nores se escondem em buracos para não serem comi-dos enquanto descansam.

E: Em 2003, alguns cientistas escoceses da Universidade de Edimburgo descobriram que os pei-xes podem sentir dor. [carece de fontes] Wikipédia.

No caso das Forças Armadas Brasileiras, porém, o peixe que batizava a operação era simples evocação da imagem da rede de pesca. Destinada a peixes subversivos. Peixes vermelhos que queriam – o quê? Transformar o Brasil em Cuba? (Não, a Revolução Cubana tinha sido pautada pela estra-tégia do foco guerrilheiro, fracassada na Bolívia, na Argentina e no Peru. Para o PC do B, o foquis-mo menosprezava a importância do Partido, ba-seava-se em atos heroicos individuais e portanto era idealista e pequeno-burguês.)

A região era, e ainda é, conhecida como Bico do Papagaio, mesmo que algumas coisas tenham mu-dado no mapa do Brasil de lá para cá.

O nome vem do desenho que o rio Ara-guaia faz ao desembocar no rio Tocantins, na jun-ção de três estados brasileiros. Nos anos que Chico e Manuela passaram ali, os estados eram Pará, Maranhão e Goiás. Hoje são Pará, Maranhão e Tocantins, por causa da reforma na geografia. Mas o Bico do Papagaio continua lá. A terra foi esfolada, as fronteiras foram alteradas, mas os rios ainda não mudaram seu curso, nem secaram. As montanhas continuam no mesmo lugar.

Você vai cortar lenha na mata e depois trazer para a base, disse o companheiro César para Manuela, num dos primeiros dias depois de sua chegada. É treinamento físico, você fica em forma e depois carregar lenha é como carregar armas ou o corpo de um companheiro ferido. E ninguém acha que estamos fazendo nada de mais, só cortando lenha.

(O que diabos estavam as mulheres fazendo metidas em política, tornando-se ainda por cima guerrilheiras, numa época em que ainda se esperava delas que ficassem circunscritas ao âmbito do lar e da vida privada? Putas comunistas. Era o apelido que elas ouviriam nas sessões de tortura. Contra a pátria não há direitos.)

De noite, César às vezes pegava um violão e cantava alguma coisa de Noel Rosa. Felicidade, felicidade, minha amizade foi-se embora com você. Se ela vier e te trouxer, que bom, felicidade, que vai ser.

Chico não cantava, ele era um desafinado crônico, mas olhava Manuela de longe. Manuela sentia o olhar dele úmido entre as paredes do casebre, e era bom, o olhar fixo nela, imantado, apontado como ele apontava as armas para o alvo e não tinha como errar. Chico não tinha como errar, nunca.

O que é que você veio fazer aqui, menina. Ele foi atrás dela se sentar no terreiro, uma fogueira acesa para espantar os mosquitos.

O mesmo que você.

Você é tão novinha.

E você não é?

As mãos dos dois estavam arrebentadas. As roupas estavam sujas e a pele coberta de picadas de insetos. Os bichos na mata faziam barulho. O fogo na fogueira estalava a lenha que Manuela tinha ido cortar de manhã. O crepitar era quase hipnótico. Mas Chico e Manuela não seriam hipnotizados pelo fogo e seu crepitar, porque a atenção deles não estava na fogueira.

Você é bonita, Chico disse.

Ela riu.

Deixa de brincadeira.

É sério.

Ela olhou para o Chico, que tinha passado pela Academia Militar de Pequim, que sabia usar (e fabricar) armas e viria a se tornar um dos mateiros mais hábeis do destacamento.

Ela disse: Sabem o que falam do Osvaldão, que ele tem o corpo fechado?

Sei.

Acho que você também deve ter. Acho que é graças a gente como ele e você que tudo isto vai dar certo.

Osvaldão, o comandante do Destacamento B, o líder mais popular entre os guerrilheiros e querido dos moradores também, não tinha o corpo fechado. Quando os militares deram cabo dele, anos mais tarde, exibiram o corpo pendurado num helicóptero, para que não restassem dúvidas. Mas quem poderia prever isso, àquela altura? O Osvaldão parecia indestrutível, era um negro de dois metros de altura e ex-campeão de boxe. Gostava de ajudar. Fazia amigos.

Àquela altura, antes da prisão de Pedro e da primeira campanha dos militares no Araguaia, tudo ainda ia dar certo.

Àquela altura, o Partido apostava no engajamento da população. Dizia a resolução de 1969: *Aos brasileiros não resta outra alternativa: erguer-se de armas nas mãos contra os militares retrógrados e os imperialistas ianques ou viver submissos aos reacionários do país e aos espoliadores estrangeiros.*

Mas por que isso, Fernando? Por que se meter no meio da floresta, longe de tudo, sem contato com ninguém, eu perguntei, um dia. Você não estudava para geógrafo? Por que você não ficou lá, estudando para geógrafo em Brasília, era em Brasília, não era? Você podia fazer política lá em Brasília, não podia?

Fernando olhou para mim. O ônibus quase não sacolejava pelas ruas lisas de Denver.

Você está mesmo querendo falar desse assunto.

Eu estava. Queria saber tudo o que tinha acontecido com ele, queria ver aqueles dias-fantasmas do seu passado na minha frente, diante dos meus olhos, queria saber se os fantasmas de fato assombravam ou se eles apenas eram fantasmas por falta de alternativa.

Eu estava mesmo querendo falar daquele assunto. Muita gente não estava, era um assunto que ficava melhor fora da história oficial, mas a dúvida às vezes rói como um bicho. E ela roía, sim, uma pequena e paciente traça caminhando por entre letras, números e carimbos dos arquivos da guerrilha mantidos secretos pelas Forças Armadas. Onde estava o filho desaparecido, e sob que circunstâncias ele tinha desaparecido. Onde estava enterrado o cadáver, e como é que o corpo íntegro tinha virado um cadáver.

Contra a pátria não havia direitos? Com o passar do tempo, os pais dos desaparecidos no Araguaia iam morrendo eles também, iam morrendo sem saber o que tinha acontecido com o filho guerrilheiro, com a filha guerrilheira.

Mas como ordenavam os comandantes das Forças Armadas aos seus subordinados nos dias de repressão à luta armada, era preciso ver, ouvir e calar.

A guerrilha, em termos ideais, devia sumir, uma velha viúva esquecida em seu quarto. Janelas fechadas, porta fechada, um coração fraquinho e pequenino batendo por trás de músculos flácidos, de peitos murchos, de uma pele enrugada. Ela não havia sido nada, não havia representado nada, de que adiantava pôr o dedo na ferida. O grupo militar Terrorismo Nunca Mais viria a defini-la como:

A aventura de um grupo verdadeiramente pequeno e residual.

O desvario de um partido ilegal e clandestino em engendrar a incoerência de uma guerra popular sem apoio do povo, para impor-lhe o socialismo.

A ação de um bando quixotesco a infligir mais prejuízos a si mesmo, perdido na selva e no emaranhado dos próprios erros.

No sul do Pará, onde Fernando viveu, não há mais mata, passadas algumas décadas. Na época em que ainda havia, a história oficial do país se chamava Milagre Brasileiro.

Uma das coisas mais sensacionais de todas, naqueles dias, era a recente conquista do tricampeonato mundial pela seleção de futebol. Todo brasileiro conhece até hoje a marchinha de Miguel Gustavo, mesmo quem nasceu tempos depois, como eu nasci. Os tais noventa milhões em ação. Todos juntos, vamos. Pra frente Brasil, salve a seleção! De repente é aquela. Corrente pra frente.

Ah, a campanha de setenta! Uma seleção que tinha Pelé, Gérson, Jairzinho, Tostão, Rivelino, que tinha Carlos Alberto Torres como capitão. Uma seleção que nunca teve igual em lugar algum em época alguma. Depois do fracasso na Inglaterra em 1966, que tal levantar a Taça Jules Rimet em todo o seu ouro ofuscante no Estádio Azteca, no México? Que tal? De repente é aquela corrente pra frente, parece que todo o Brasil deu a mão. Mesmo se algum torcedor vidente soubesse que a Jules Rimet viria a ser roubada e derretida anos depois, isso não diminuiria em nada a emoção da conquista do título.

Que era paralela a outras emoções nacionais. Talvez o professor de história tivesse explicado isso num daqueles dias em que eu acompanhava os pombos lá fora, os pombos sujos de Copacabana e seus arrulhos e suas eventuais patas deformadas. Mas foi Fernando quem sintetizou para mim, enquanto o ônibus quase não sacolejava pelas ruas lisas de Denver. Com a política econômica da ditadura, a inflação baixava, a taxa de desemprego baixava, o país crescia. Mas a coisa ia desandar, com uma crise do petróleo para azedar os humores. (No ano do golpe militar, a dívida brasileira era de pouco mais de três bilhões de dólares. Em 1985, no fim do governo militar, quando o general Figueiredo pediu a todos que o esquecessem, passava dos noventa bilhões.) Do mesmo modo, explicava-se ao país que era preciso primeiro fazer crescer o bolo para só então reparti-lo. E era assim que o salário mínimo caía em pleno milagre. E os mais pobres ficavam cada vez mais mais pobres. Em meados dos anos setenta, mais da metade da população brasileira era subnutrida ou desnutrida.

Concluí que o santo que havia operado o milagre usava uma auréola de arame coberta com papel dourado, feito aquelas que tínhamos fabricado para encenar uma peça natalina na escola, certa vez. O santo milagreiro levitava suspenso por uma tábua e quando puxava conversa com os bichos e as plantas, os bichos e as plantas não entendiam nada.

Na ocasião da Operação Peixe I, os moradores de São João do Araguaia falaram aos militares sobre uma *turma de paulistas* que morava na Faveira.

Os investigadores se vestiam como civis e seguiam ordens de manter sigilo absoluto sobre aquela primeira fase da operação. Saíram de lá com alguns nomes, algumas suspeitas e algumas certezas.

Entre as certezas, a de que o inimigo estava mais preparado para o confronto do que se havia pensado, e que era necessário reforço do efetivo.

Viria a Operação Peixe II. Para vigiar, investigar, prender, interrogar.

Fizeram buscas na Faveira e apreenderam munição e um barco. Ficaram de tocaia junto a um ponto da Transamazônica onde achavam que poderiam surpreender um certo suspeito, um tal de Joca. Que tinha comprado terras na Faveira e começado a receber gente que apresentava aos moradores como seus familiares: uma tal de dona Maria, um tal de Cid, um tal de Mário, um tal de Luiz. Um japonês, uma loura. Um casal chamado Beto e Regina.

Família grande e diversificada, essa do Joca, conforme averiguado na Operação Peixe I.

Podiam ser hippies inofensivos, desencantados com a vida urbana, hipótese que os militares não deixaram de levantar, para logo descartar. Suspeitavam que Joca fosse um experiente militante da Ação Libertadora Nacional chamado João Alberto Capiberibe.

E era ele mesmo. Só não desconfiavam que a tal dona Maria era Elza Monerat, a veterana comunista que já tinha quase sessenta anos de idade àquela altura. Nem que Mário e Cid eram Maurício Grabois e João Amazonas, do Comitê Central do PC do B e ex-deputados federais.

Os agentes de tocaia junto à Transamazônica ficaram esperando Joca passar. Ele já não vivia na Faveira, mas segundo os moradores uma vez por mês ia até lá, cuidava do que tivesse que cuidar e depois voltava para um lugar desconhecido no meio da mata (*A mata é nossa segunda mãe!*), passando pela Transamazônica.

Os agentes aguardaram durante cinco dias. Sem sucesso. É que as informações também corriam do lado de lá.

* * *

A carta de Manuela para Chico, um pedaço de papel que depois foi fixar residência na caixa de madeira de vinho El Coto de Rioja, no fundo de um armário num subúrbio de Denver, foi escrita antes de tudo isso.

Manuela estava de cama por causa da malária e achava que ia morrer. O corpo inteiro doía, da cabeça até os pés. Ela vomitava. Tremia de febre. Outros companheiros já tinham passado por aquilo, e por coisa pior, e estavam ali inteiros, mas ela se sentia tão mal que achava que não ia escapar. O sofrimento no próprio corpo parece algo mais complexo e preciso do que no corpo dos outros.

Por ali, era fácil morrer de malária, de febre amarela, de leishmaniose. A companheira Regina, que tinha estado na Faveira um ano antes, teve brucelose, anemia, ainda por cima acabou engravidando de seu namorado Beto, submeteu-se a um aborto conforme a orientação do Partido, o aborto foi feito de forma inadequada e ela por fim recebeu licença para ir se tratar longe dali.

O feto continuava em sua barriga. Ela nunca mais voltou. Chico estava trabalhando na mata enquanto Manuela, de cama, achava que ia morrer. Fazia mais de uma semana que ele estava fora de casa.

Você não vai morrer, dizia a companheira Inês.

Mas o corpo parecia que não tinha mais vontade. Na carta para Chico, Manuela escreveu, com tintas militantes: Eu te admiro muito. A sua força, a sua capacidade. Se eu não escapar desta, você por favor dê um jeito de mandar notícias aos meus pais no Rio de Janeiro. Diga a eles que nunca me arrependi de ter vindo para cá. Morrer doente numa cama não é como morrer na guerra contra os inimigos do povo, isto é certo, mas mesmo assim não me arrependo. Ficou faltando dizer que gosto de você. Quem me dera a vida fosse outra. Você sabe. Outra mesmo. Tudo diferente.

Chico sabia. Quando voltou da mata e leu a carta de Manuela, que ardia de febre mas obviamente se recuperou da malária e se recuperou de novo nas outras ocasiões em que adoeceu, ele já sabia.

Às vezes você está disposto a entregar a vida pelo Partido e seus ideais (para fazer parte das Forças Guerrilheiras, tem de estar, ou então quando percebe que não está já é tarde demais). Abdicar do amor, nem sempre.

O mateiro que estudou na China, fabricante de armas, comunista desde a adolescência, o homem com cara de garoto e braços duros que não tinha medo de nada, o goiano que antes de ir para o Araguaia já não conseguia emprego em lugar algum por causa de sua ficha suja (contra a pátria não há direitos) achava as duas coisas conciliáveis. As Forças Guerrilheiras do Araguaia e a moça de codinome Manuela, que pensava que ia morrer de malária.

Que nada, Manuela. Você vai ficar boa.

Uma semana mais tarde ela estava dando aulas de novo, na escola criada e mantida pelos guerrilheiros, para crianças que não tinham nada, que só tinham o que a família extraía da benevolência da terra e dos rios, os filhos dos posseiros que temiam os grileiros que estavam do lado do poder.

O Brasil só se lembrou daquele infinito lugar nenhum quando o lugar nenhum virou questão de segurança nacional, naquela época de gênese de Transamazônicas. Mas não resolveria, nem na metade de século por vir, seus problemas.

Entre as coisas que Manuela não tinha como saber enquanto dava aulas para aquelas crianças era que o Bico do Papagaio seguiria sendo uma região pobre, abandonada pelo poder público, e que seria palco de conflitos violentos por causa da coexistência de fazendeiros, madeireiros, sem-terra, garimpeiros, índios, trabalhadores escravizados, pistoleiros, traficantes de drogas.

Anos mais tarde, andaria por lá um delegado chamado Hitler Mussolini, tentando expulsar do país freis dominicanos defensores dos direitos dos trabalhadores na região.

Naquele futuro, os policiais faziam bicos como seguranças nas grandes fazendas. Trabalhadores escravizados trabalhavam vigiados por homens armados e dormiam trancados no barracão. Uma adolescente resgatada pela fiscalização nem sequer imaginava que poderia receber pagamento pelo trabalho. Não passava pela sua cabeça. Ela estava com catorze anos e trabalhava desde os cinco.

O Partido não queria que os guerrilheiros se metessem em aventuras amorosas. Mas e se não fosse uma aventura amorosa? Alguns companheiros pareciam celibatários. Outros eram casados. E outros tinham, sim, suas relações nascidas ali, no meio da mata, enquanto treinavam tiro ou primeiros socorros.

Assim sendo, certo dia, quando Manuela foi cortar lenha na mata, Chico foi junto. Para ajudar.

Como é que você se chama? Quando é que você me ama? Onde é que eu vou lhe falar? Como é que você não me diz quando é que você me faz feliz? Onde é que vamos morar?

Chico não ia cantar a canção, desafinado do jeito que era, mas podia muito bem pensar nela, já que pensamento não desafina.

Podia pensar nela enquanto pensava em Manuela. Enquanto capturava Manuela dentro de um abraço. Vem cá, moça. E ela ria. Eu achei que ia morrer. Que boba. (Quem foi que disse "que boba", ele ou ela?) Também gosto de você. (Dessa vez foi ele.)

Aquela mata cerrada que barrava até a luz do sol. Uma vez Chico sonhou que entrava na mata e era um breu, não se enxergava nada. Em pleno dia. Mas *a mata é nossa segunda mãe!* E no meio da mata podemos abraçar e beijar alguém de quem gostamos, alguém de quem achamos que gostamos muito, mesmo, e cantar canções mentalmente para não correr o risco de desafinar. E depois até cantar vocalmente, com a garganta e os desafinos, um trechinho dessa música. Só um trechinho. Tirar a roupa e revelar um corpo fraco e forte ao mesmo tempo. Feio e bonito. Muito magro. Vezes dois. Um monte de picadas de insetos. Calos. Cicatrizes. Aconchego, desejo. Tudo isso. Depois colocar as roupas de novo, pegar a lenha nas costas e levar para onde ela devia ser levada. Como se fossem armas. Como se fosse um companheiro ferido.

Um dia descobri aquele poema chamado "The Fish". Era bastante difícil. Estava numa daquelas (bastante difíceis) antologias de poesia americana que a bibliotecária me dava para ler, cheia de honestidade literária e crença no futuro. E que eu lia achando que tudo aquilo ia se decalcar no meu cérebro, ficar alojado ali e fazer de mim uma pessoa diferente (melhor, se possível: eu me empenhava nisso e tinha patrocínio), do mesmo modo como a televisão me ensinava outros itens básicos de sobrevivência.

Um dia, alguns anos mais tarde, depois de ter relido um montão de vezes o poema chamado "The Fish", a cada vez deslocando um pouco mais o eixo dos meus sentidos face a ele, achei que era o meu favorito. O Meu Poema. De todos aqueles suados entre as páginas das antologias na Biblioteca Pública de Denver.

Fiquei sabendo que a autora, chamada Marianne, era filha de um engenheiro e inventor com o belo nome de John Milton Moore (eu gostaria de me chamar John Milton Moore se fosse homem, Evangelina Moore não funcionava, mas Marianne Moore sim, esse era o nome da autora do meu poema preferido e era um belo nome). O pai dela foi internado numa instituição para doentes mentais antes que ela nascesse. Sobre a mãe dela não encontrei nada, era apenas a mulher de John, e se chamava, com bastante adequação, Mary. Marianne gostava de boxe e de beisebol.

Quando eu lia aquele poema chamado "The Fish", os peixes, era transportada para um mundo de cores, de movimentos primordiais. Havia nele caranguejos como lírios verdes e chapéus-de-sapo submarinos.

E um oceano turquesa de corpos. E as conchas azul corvo.

E um *sun split like spun* bom de repetir várias vezes, trazendo a imagem do sol repuxado como vidro repuxado debaixo d'água, o sol em nacos, em feixes. SUN SPLIT LIKE SPUN SUN SPLIT LIKE SPUN SUN SPLIT LIKE SPUN. Sol repuxado (fendido, rachado) como vidro repuxado.

Não tinha nada a ver com pesquisas dos cientistas da Universidade de Edimburgo revelando que os peixes podem sentir dor. [carece de fontes] Até porque era bem anterior a elas.

Também não tinha nada a ver com as operações homônimas das Forças Armadas Brasileiras nas margens do rio Araguaia.

Eram outros peixes, aqueles. A mulher que escreveu "The Fish" estava morrendo quando os militares estendiam suas redes de pesca de subversivos na Amazônia brasileira. E ela não tinha nada a ver com isso.

Nenhum peixe tinha, do mesmo modo, nada a ver com isso. O assunto que se desenrolava nas margens do Araguaia era um assunto humano. Os peixes só emprestavam o nome.

Involuntariamente, aliás – feito cadernetas de poupança confiscadas.

May I pet your dog?

Gostei da expressão *smooth sailing* na primeira vez que topei com ela. Tentava encontrar a melhor tradução para o português e nada me satisfazia. O sentido era avançar sem dificuldades. Mas ao pé da letra a coisa envolvia barco, mar e o navegar que é preciso, envolvia superfícies tranquilas e me lançava na época em que isso fazia sentido imediato.

Smooth era a qualidade lisa e acetinada das águas, *sailing* era o verbo da vela que inchava com o vento e cruzava oceanos inteiros.

Quando a professora de inglês, na escola, me parabenizou pelos meus esforços e resumiu tudo naquele *smooth sailing*, no mesmo instante eu me vi com perfeição no barco a vela que abre um rasgão quase nada num mar inteiramente macio, esse barco progressista, esse barco otimista e puro como os cardumes que nadam lá embaixo.

Saí da escola por corredores líquidos e o concreto da calçada era líquido.

Então eu velejava. Numa única expressão a professora de inglês definiu aquelas minhas primeiras semanas num estado inteiramente continental, sem qualquer contato com qualquer praia de qualquer oceano.

Em termos de água, no Colorado, eu tinha visto os reservatórios onde as pessoas velejavam em círculos aos domingos. Os rios encachoeirados nas dobras das montanhas, nos quais as pessoas praticavam esportes turbulentos – descendo em barcos amarelos parecidos com enormes esponjas de lavar louça ou em caiaques bicudos. Não desconfiava que toda aquela água fosse emagrecer e se trancar em gelo nos meses por vir, guardando sua liquidez no metabolismo lento da hibernação.

Mas eu velejava por mares calmos, ou seja, avançava sem dificuldades, ou seja, estava sendo bem-sucedida em minhas tentativas diárias de não tropeçar.

Barcos que velejam por mares calmos desconhecem cascalho, pedras soltas no caminho, desconhecem pés. Sua mobilidade é feita de ondas e de vento, com as ondas certas e o vento certo o barco a vela desliza livre de metafísica. Feito uma equação de primeiro grau.

Daniel, o nome do meu pai, era um nome válido em inúmeras línguas, para minha felicidade. Daniel era Daniel em inglês, português e espanhol, as três línguas com que eu convivia todos os dias, ali.

O homem gordinho de camisa azul e gravata no folheto das Testemunhas de Jeová teria sem dúvida condições de explicar as origens bíblicas do nome. Tudo o que eu sabia era que pertencia a alguém que em algum momento havia lutado com os leões, segundo a lenda. Não sabia nem mesmo se a luta havia sido perdida, com alguma lição moralizadora espiritual intrínseca, ou vencida, com alguma lição moralizadora espiritual intrínseca.

Eu desconfiava de que Daniel não desconfiava de ter uma filha chamada Vanja, de treze anos de idade, dona de duas cidadanias e adolescente num harmonioso caos linguístico, uma filha que falava inglês na escola, português em casa e espanhol com os vizinhos.

E eu intuía que era preciso manter aquele *smooth sailing* rumo a Daniel. Era preciso que a vida coubesse numa lista de afazeres. Como deve ser mais ou menos a rotina de um velejador. É preciso um mundo ordenado e físico, cheio de cálculos e ângulos, para que o barco veleje.

O mesmo mundo ordenado e físico onde leões com fome matam Daniel, onde leões desinteressados poupam Daniel – difícil dizer. Há entrelinhas em todas as histórias. Alguns deuses gostam de martírios sangrentos (ao estilo Tim Treadwell e seus ursos no Alasca), outros não fazem questão.

Mas de todo modo eu desconfiava que Daniel não desconfiasse da minha existência.

Depois de uma porção de telefonemas, Fernando tinha finalmente localizado algumas pessoas. Entre elas, aquela antiga amiga da minha mãe que morava em Santa Fé. Mas uma lista telefônica não bastaria para localizar Daniel? Bastaria, se não houvesse montes de Daniéis com o mesmo sobrenome em todo o Novo México e se Daniel ainda morasse no Novo México e se ele estivesse mesmo na lista telefônica.

Mas quem sabe ele tinha cruzado a fronteira e estava agora no Arizona ou no Texas ou no próprio Colorado, ou então no México, para lá de uma fronteira ainda mais fronteira, ou então na Colúmbia Britânica ou na Argentina (por que não?), ou virtualmente em qualquer outro lugar do mundo. Ou então não havia mais aquele Daniel específico no mapa, apenas os seus homônimos espalhados pelos quatro cantos do globo, diáspora de um homem só.

A antiga amiga da minha mãe que morava em Santa Fé ensinava piano e se chamava June. Fazia mais de dez anos que tinha visto Daniel pela última vez, conforme explicou a Fernando. Contou que ele tinha se mudado para San Antonio, no Texas, depois os dois tinham perdido o contato. E-mails, essas coisas? Ela tentou, disse

Fernando. Andou escrevendo para algumas pessoas. Ainda não teve resposta. É preciso esperar um pouco.

E, depois de alguns instantes de silêncio:

Por que é que você nunca perguntou à sua mãe onde estava o seu pai?

Porque eu não precisava saber. Porque acho que ela não sabia. Porque acho que ela não ia querer me dizer. Não sei. Por que é que você e ela pararam de se falar?

Porque a gente não tinha motivo para continuar se falando.

Vocês não tinham assunto? Vocês não se importavam mais um com o outro?

A gente não tinha assunto. A gente não se importava mais um com o outro. Deve ter sido por isso.

Ele picava couve para fazer farofa. Peguei um pedaço de couve que caiu no chão e coloquei de volta na tábua. E arrisquei: Por que é que você teve que sair do Brasil?

Ele picava a couve e a faca dava golpes secos na tábua. Plac. Plac. Plac.

Estavam atrás de mim.

A polícia?

O Exército.

O que você fez?

Algumas coisas.

Erradas?

Na opinião deles, sim. Eram tempos difíceis.

Eu não sabia se devia ou não sacudir Fernando para que ele me contasse logo o que acabou me contando ao longo dos meses seguintes, enquanto o gelo cobria os rios encachoeirados e os reservatórios, e depois disso, enquanto o gelo derretia e encorpava os rios encachoeirados e os reservatórios do verão seguinte. Para que ele me falasse de armas de fogo e daquela outra mulher (Manuela/Joana) anterior a Londres e à minha mãe, anterior a Lakewood, Colorado, e muito anterior à Vanja. A mulher da carta no anonimato da caixa de madeira de vinho El Coto de Rioja.

Mas a ideia de sacudir Fernando dava certo medo, ainda. A ideia de segurar aqueles calombos musculares e agitá-los, como se eu tivesse direito à vida dele. Não tinha. Já era demais estar ali apenas porque ele algum dia me havia dado de presente seu nome em minha certidão de nascimento.

Quando penso em Fernando hoje, nove anos passados desde aquelas minhas primeiras semanas em Lakewood, me lembro dos braços dele. Era ali que devia morar o Fernando de fato, sua alma, sua personalidade. Os braços que eram somente uma força hipotética durante as horas diárias como segurança na Biblioteca Pública de Denver, unhas do gato dentro das patas do gato. Os braços que eu tantas vezes vi tirando as marcas dos vidros e o pó das superfícies e o lixo do chão alheio. Os braços que um dia se crisparam com o peso de uma arma – não sei qual o peso de uma arma, não sei qual o peso que se acrescenta a uma arma ou se subtrai dela dependendo do propósito com que ela se empunha. Os braços que eu sabia terem dado a volta no corpo da minha mãe, 360 graus (o amor, arma branca, arma que desarma), e no corpo daquela outra mulher anterior à minha mãe e a Londres e ao Novo México e ao Colorado. Os braços empenhados numa frigideira preparando farofa de couve com a farinha de mandioca comprada na loja de produtos brasileiros. Os braços que apareceram em casa segurando um trenó de plástico vermelho quando os primeiros dias de neve no início de novembro profetizaram encostas deslizáveis. Os braços que me empurraram pelas encostas deslizáveis enquanto por dentro eu era pânico duro, em estado bruto. Os braços que aprenderam a domar a própria inabilidade para abraçar a filha alheia num ritual de boa-noite que em tese nem precisava existir. Os braços que fechavam a porta após atender pela segunda e pela terceira vez a mulher das Testemunhas de Jeová (ele tinha lido o folheto? Ela queria saber se podia tirar alguma dúvida, Bíblia em punho. E ele não tinha coragem de confessar que o folheto havia ido parar no lixo, e dizia que ainda não tinha tido tempo de ler). Os braços quietos que seguravam meu livro de matemática enquanto os músculos do rosto contraíam sua concentração.

* * *

Era preciso esperar, conforme tinha dito a tal June de Santa Fé e conforme havia repetido Fernando.

Eu não tinha nenhum outro compromisso além daquele, esperar.

Cinco dias por semana ia para a escola. Dois dias por semana não ia. E enquanto isso, esperava.

Cinco dias por semana eu almoçava na mesa de Aditi Ramagiri e suas amigas, na cafeteria da escola, e numa quarta-feira sem brilho nenhum olhei para aquele garoto chamado Nick de um jeito diferente durante uma aula de matemática, e a quarta-feira sem brilho nenhum virou o grande Mogul, o diamante do Shah Jahan, que estava desaparecido desde o século dezessete segundo registros e que eu acabava de encontrar, com certa falta de jeito.

Era preciso esperar.

Um dia, quando eu passava diante da casa azul-clara no caminho de volta da escola, o filho dos vizinhos salvadorenhos estava na calçada. Era uma criança parruda e baixinha, de cara divertida.

Ele me disse oi em espanhol. *Hola.*

Respondi.

O menino perguntou *¿Como te llamas?*

Vanja, falei. *¿Y tu?*

Carlos.

Carlos não era um nome apropriado às crianças, pensei. Talvez todos os Carlos do mundo já tivessem nascido adultos. Menos aquele, com a camiseta das Tartarugas Ninja e uma bola de futebol americano entre as mãozinhas.

¿Juegas? perguntei, apontando com o queixo para a bola.

No, ele me respondeu, simplesmente.

Yo tampoco.

Dois dias depois ele bateu à porta da casa de Fernando com um livro em inglês, escrito para crianças bem menores do que ele. Carlos falava inglês muito mal. E não lia quase nada. O livro compilava, no total, uma dezena de frases e imensos desenhos de carros, motos, aviões, ônibus, ambulâncias, carros de bombeiro e outros veículos motorizados que deslizavam pelo mundo com desenvoltura, elegância e combustíveis fósseis.

Perguntei quantos anos ele tinha.

Carlos me olhou com sua cara rechonchuda, os olhos meio puxados atrás dos óculos e o cabelo espetado, bem curto, e respondeu nove. Entregou o livro e perguntou se eu podia ler para ele.

Ofereci a ele um guaraná. Da loja de produtos brasileiros. Sentamos juntos no sofá com uma distância de um palmo entre nós dois. Comecei a ler.

Carlos queria passar depressa a página para ver a figura seguinte. Expliquei: Carlos, você precisa prestar atenção. *You have to pay attention, dude.*

Comecei a sublinhar com o dedo as palavras conforme ia lendo. Carlos se pôs a imitá-las com a voz. Alguns minutos mais tarde, empoleirou a mão no meu antebraço, e deixou-a ali, como um pássaro quente e úmido e um pouco melado. Eu não sabia se ele estava efetivamente entendendo as palavras ou se aquilo era só fingimento, se era só estratégia para que eu continuasse a leitura.

Não é para você chegar muito perto das pessoas. Fernando havia explicado. Essa coisa brasileira de ficar dando montes de abraços e beijos. Se quiser cumprimentar alguém, aperte a mão. É assim que funciona por aqui.

No Rio de Janeiro, as pessoas estão sempre esbarrando umas nas outras. Você esbarra nos outros nos corredores dos supermercados, nas filas, nas calçadas, nos ônibus, no metrô. Você não sai da frente quando os outros precisam passar. Os outros não saem da frente quando você precisa passar. Vamos todos pedindo licença e abrindo caminho com o próprio corpo. *Licença*, dizemos, às vezes, e às vezes com tão pouco empenho que a palavra some no interior de si mesma e vira apenas um indistinto *ss-ss*. Vivemos dando beijinhos e abraços em quem conhecemos há dez anos e em quem acabamos de conhecer e dizemos oi querido, oi querida. Acariciamos os cachorros que passeiam pela rua com seus donos. No máximo, perguntamos ele morde? depois de verificar o pronome olhando por baixo das pernas do bicho em busca de um par de testículos ou da ausência de um par de testículos. Se o dono diz que não morde, enfiamos sem pedir permissão os dedos no pelo, afagamos as orelhas, coçamos a barriga do cachorro e é bom, e o mundo é feito essencialmente de superfícies em atrito e troca de calor.

Aqui você peça licença primeiro se quiser fazer festa no cachorro de alguém, Fernando orientou, na primeira vez que vi dois golden retrievers espumantes com o pelo mais bem cuidado do que o meu cabelo e me atirei sobre eles e eles corresponderam com paixão legítima e a dona me olhou de cara feia. Diga: *May I pet your dog?* Repeti mentalmente para não esquecer: *May I pet your dog.*

Carlos e eu terminamos de ler o livro e eu perguntei do que ele tinha gostado mais e ele me disse que da ambulância. Depois pediu mais guaraná, palavra que pronunciava com perfeição. Desse dia em diante, Carlos se tornou a companhia das minhas tardes. E eu a companhia das tardes dele.

Carlos não tinha *papeles*. Sua mãe também não. Seu pai e sua irmã também não. Haviam chegado aos Estados Unidos como turistas sem ser turistas fazia pouco mais de um ano. Depois o visto expirou e eles não voltaram para El Salvador.

A irmã de Carlos trabalhava como camareira num hotel no *tech center*. Ela dizia que ia juntar dinheiro para estudar medicina em Harvard. Quando me mudar para Massachusetts, ela falava, vou dividir um apartamento com alguma colega de faculdade e vou ter um sofá vermelho no meu apartamento.

O pai de Carlos trabalhava como garçom num restaurante mexicano.

A mãe de Carlos não trabalhava. Um dia Fernando me disse que ela não podia trabalhar. A mulher é desequilibrada. Você nunca notou? Ela tem algum problema. Não sei o que é, mas deve ser coisa séria. A mulher é desequilibrada.

Achei que ele estava brincando. Não estava.

Encontro uma pergunta aberta no Yahoo. O q todos nós brasileiros podemos fazer para acabar com esta invasão latina no brasil em especial em são paulo?

E outra pergunta: o que vocês acham desses bolivianos que ultimamente vem se aglomerando por são paulo? muitos desses bolivianos não tem visto e ficam por aí ocupando vagas que deveriam ser dos brasileiros desempregados, e esse governo frouxo não faz nada.

Alguém responde: Boliviano não é nem menos, nem mais humano que você. Se eles querem trabalhar, abençoado por Deus é quem lhes dá um emprego.

Alguém responde: Infelizmente, o Brasil sempre foi refúgio de todo tipo de espertalhão, desde da epoca do império. E de lá para cá, não mudou nada. O governo? Para que serve mesmo o governo?!!!!!!!!!!!!!!!! Ah, Ah, Ah.

Alguém responde: São muitos realmente. Até alguns anos atrás, estimavam em 50.000 o número de bolivianos em SP, ano passado já eram quase 300.000!!!!!!! (99,9% ilegais). Isso só na cidade de SP, imagine quantos tem no Brasil inteiro... Minha prima mora no Belenzinho, se vc andar pelas ruas do bairro nos fins de semana, vc não vê 1 brasileiro só boliviano, e cada dia aumenta mais! Eu não sou contra imigrantes, mas o crescimento dos bolivianos em SP é assustador!

Alguém responde: O Brasil sempre foi a "lata do lixo do mundo", aqui nada é controlado, os bolivianos sabem disto. Se fosse num país europeu, eles teriam medo até de andar nas ruas e ser pegos numa "razzia".

Alguém responde: Colega imigrantes ilegais existem no mundo inteiro. O que dizer dos milhões de brasileiros ilegais que estão no EUA, e cometem crimes as vezes até banais? Quem tem telhado de vidro não dever atirar pedra no dos outros!

Outra pergunta. Quais foram os motivos q levaram os imigrantes alemães a escolherem o Brasil como destino?

Alguém responde: Porque na época que eles começaram emigrar para o Brasil o nosso país era o que mais dava apoio para quem queria trabalhar e subir na vida, e alias os alemães de burros não tem nada, sabiam que o nosso pais e um dos melhores do mundo

Alguém responde: Fácil de entrar e cheio de mulata na avenida.

Carlos não tinha autorização para usar o computador de sua casa e vinha quase todos os dias depois da escola me pedir para jogar. Só depois que você terminar o dever de casa, eu disse, da primeira vez que ele pediu. E se Fernando deixar. O computador não é meu, é dele.

Carlos voltou para casa. Mas assim que o Saab parou junto ao meio-fio ele veio tocar a campainha outra vez, com o dever de casa em punho para me mostrar que tinha feito quase tudo e que só tinha deixado em branco uma dúvida, será que eu podia ajudar? Qual a diferença de *its* para *it's*? E depois ele podia jogar?

Até que um dia o termômetro amanheceu marcando seis graus. Na véspera fazia trinta. Abri a porta para um estranho céu cinzento, bidimensional. Um coelho marrom me espiava da faixa malcuidada de grama, ainda sem saber se fugia ou o quê. A cabeça de lado, como a de todos os outros bichos aos quais o mundo se oferece em dupla, um para cada olho, e que vivem tendo de esquizofrenizar sua atenção. O coelho ficou ali mastigando a grama com os bigodes abanando, em seu pequeno tufo de existência, incerto quanto ao meu potencial de ameaça, que ele avaliava com o olho esquerdo.

Peguei um casaco, desconfiando daquela revolução de temperaturas. Se era mesmo para valer. Na escola, enquanto esperava a aula começar, desenhei com caneta um diamante na calça. Ó grande Mogul multifacetado, ó grande diamante do Rei do Mundo.

Nick passou por mim e me disse *hey* e eu respondi *hey* sem levantar os olhos do lugar onde os havia grudado para fingir desinteresse. Mais tarde ele pediu a caneta e perguntou se também podia desenhar alguma coisa na minha calça, tá, tudo bem, e ele desenhou quatro letras, NICK, e me contou que era ecoanarquista.

Aquele era o dia em que a estação mudava oficialmente, como fui informada pelos professores.

Eu achava aquilo curioso. Acompanhar a mudança das estações era um pequeno luxo. Feito jogar críquete ou conhecer a Grécia. Mas as árvores todas resolveram que, sendo outono, alguma providência deveria ser tomada. Amarelar, por exemplo, e começar a jogar folhas no chão. E as ruas se tornariam tapetes reincidentes, entre uma e outra visita da limpeza oficial, nas semanas seguintes. Com folhas desafiando os passantes. Coisa velha, ou mais do que velha, coisa morta, resto de verão desencarnado. Folhas que engendrariam bichos por baixo. Na verdade não, porque a secura daquele lugar não deixava quase nenhum bicho se ensaiar desse jeito, os bichos dali eram meio jagunços. Um dia eu veria passar o homem de bicicleta entre as folhas, levantando uma pequena maré farfalhante, cor de fogo.

No Rio de Janeiro eu tinha visto amendoeiras mudando de cor. Mas não havia amendoeiras ali em Lakewood, Colorado. Eu via a *aspen* e lia no dicionário que ela se traduzia por faia preta ou choupo ou álamo. Achava estranho que pudesse ter três nomes em português. A *maple* só tinha um: bordo. E das outras árvores Fernando não sabia me dizer o nome – nem mesmo daquela que em pouco tempo estaria inteiramente vermelha, como se fosse um incêndio fincado na calçada.

Quando saímos para um programa de outono – uma expedição ao labirinto no milharal – a estação de rádio andava em época de campanha de arrecadação de verbas. Mostre o seu apoio ligando AGORA para o número tal e fazendo sua doação. Mantenha a rádio pública funcionando.

Uma mulher de voz rouca se identificou e disse que era pianista e que estava ali para declarar o seu apoio e pedir que VOCÊ fizesse como ela, ligando para o número tal e fazendo sua doação.

Depois o locutor com voz de chocolate anunciou uma faixa do último CD da pianista de voz rouca. E lembrou: se você aprecia esta música, se quer mantê-la viva, ligue agora para o número tal e faça sua doação. Depois entrou o piano da mulher de voz rouca, acompanhado por uma bateria e um contrabaixo. O piano, como a pianista, parecia meio rouco também, e era bom ouvi-lo/a enquanto eu me embrulhava em mim mesma e no meu casaco, no banco da frente do carro.

Fernando dirigia usando uma camiseta de manga curta. Você não está com frio?

Não. A gente acaba se acostumando.

Virei-me para o banco de trás. Carlos parecia uma pessoa em miniatura, não uma criança, mas uma pessoa em miniatura, debaixo do cinto de segurança. Seus olhos, ampliados pelas lentes grossas dos óculos, brilhavam, e ele disse, quase gritando: *¡Yo entiendo un poco el portugués!*

Fernando tinha uma faxina para fazer e eu e Carlos íamos junto com a condição de não atrapalhar, e Fernando nos levaria depois ao labirinto no milharal.

Outra coisa que acontece quando você passa tempo demais fora de casa é que se depara com certas novidades no lugar novo através do idioma novo e daqui a pouco a língua que fala é uma estranha combinação de sintaxe em sua língua nativa mais um léxico de duas caras. Eu não dizia labirinto no milharal, dizia *corn maze.*

Quando bati na porta de Carlos e o convidei para vir junto ele deu vivas, *Qué bueno, corn maze*, e foi correndo pedir à mãe. Como se ela não fosse deixar.

Aditi Ramagiri, minha amiga de cara indiana e nome indiano nascida em Columbus, Ohio, que pouco mais tarde se tornaria uma das principais maconheiras da escola e grande confeccionadora de cookies herbáceos, disse que não ia poder me chamar para a sua festa de aniversário porque sua mãe só deixava que ela chamasse quem já tivesse ido em sua casa pelo menos cinco vezes ou quem em cuja casa ela já tivesse ido pelo menos cinco vezes. A festa era naquele sábado. Eu visualizava Veronica Crump e Leslie Yang e Jessica Martinez e Betty Tajul-Amar na festa de aniversário de Aditi, todas elas aprovadas pela lista-das-cinco--vezes de Mrs. Ramagiri.

Comentei isso por alto com Fernando, durante o almoço, entre uma e outra bocada daquele cuscuz que vinha na caixinha amarela e ficava pronto em cinco minutos. Ele resmungou qualquer coisa de boca cheia, em inglês, que não entendi. E disse que ia me levar ao *corn maze* e que isso seria muito melhor do que a maldita festa de como é mesmo o nome dela Aditi Ramagiri.

Eu queria dizer que Aditi não tinha culpa. Eu não estava zangada com ela. Não estava zangada nem com Mrs. Ramagiri, costume é costume, regra é regra, cada família tem os seus e as suas, e

Fernando resmungou mais alguma coisa de boca cheia, em inglês, que não entendi.

No banco de trás, enquanto o piano rouco da mulher de voz rouca soava entre um e outro surto de arrecadação de verbas, e enquanto Fernando dirigia o Saab vermelho em direção ao *corn maze*, Carlos chupou mais um pouco de seu suco de caixinha e pediu: *More portugués, por favor.*

Fui eu quem consegui nos tirar do *corn maze*. Fernando deixou tudo por minha conta. Carlos estava nervoso, com o mesmo nervosismo de uma criança pequena que vai ver pela bilionésima vez o lobo mau tentando enganar a Chapeuzinho. E que olhos grandes você tem etc. O drama se encena mesmo quando o desfecho já é sabido de cor. E você sofre do mesmo jeito. É desse modo que as crianças testam o mundo, verificam se ele de fato vai dar sempre a mesma resposta para a mesma pergunta. E concluem que sim. Mais uma das promessas falsas de campanha do mundo adulto. Sim, Carlos, somos coerentes. Cresça e veja você mesmo.

Carlos caminhava pelos corredores do labirinto escavado no milharal como se de fato pudesse ficar perdido ali, e para todo o sempre. Segurava minha mão. E olhava nos meus olhos de tempos em tempos, como se verificasse a minha confiabilidade.

Eu fazia o que ele esperava de mim: fingia que o perigo era real e estava em nossos calcanha-

res, a morte acenando num milharal num subúrbio de Denver patrocinado pelo Starbucks, pelo
First Bank of Colorado e pelo Spicy Pickle. Como
se estivéssemos num livro de Stephen King ou
num filme adaptado de um livro de Stephen King.

A tarde caía e a temperatura caía e agora
até Fernando tinha se rendido a um casaco. Carlos
estava com as bochechas vermelhas. Então era
mesmo verdade que revoluções climáticas aniqui-
lavam o calor horizontal e largo de julho, de agosto. Então era mesmo verdade que vinha setembro
e ao fim do mês era outono e com o outono as
coisas trocavam de interesse, feito namorados já
meio cansados um do outro.

Fernando olhava sempre para algum lugar
que me parecia estranho e longe dali. Fernando
parecia estranho e longe dali. Mas esse era ele, de
modo geral.

Mais tarde, já em casa, Fernando abriu um mapa
muito usado do Novo México e um mapa muito
usado do Colorado sobre a mesa de jantar. Juntou-
-os na fronteira. De tão usados, as dobras estavam
descoloridas e em alguns lugares já tinham rasga-
do. Ele me mostrou onde ficava Albuquerque. Explicou as distâncias, seguiu com os dedos as estradas. Falou do inverno em que eu nasci, ele não
gostava da autoestrada I-25 mas era a mais rápida
para chegar a Albuquerque. A mais bonita era a 285,

que deixava o grumo urbano de Denver pela ponta sudoeste e se embrenhava pelas montanhas. Li no mapa os nomes das cidades no caminho. Fairplay, Poncha Springs, Saguache, Monte Vista, Alamosa, Antonito. E, já no Novo México, Tres Piedras, Ojo Caliente, a capital Santa Fé.

Eu não estava habituada a mapas, mas havia algo de intrigante neles. Parada ali, na sala da casa de Fernando, à noite, não me parecia existir um mundo mapeável. Tudo aquilo era uma abstração – estradas, fronteiras, estados e países distintos, cidades com nome de Ojo Caliente ou Fairplay. Mas aquelas abstrações estavam lá mesmo, de fato, situadas num lugar bem específico e localizáveis, e por isso os mapas, e essa era a parte intrigante. Se eu entrasse num carro e seguisse aquelas pequeninas veias amarelas e continuasse seguindo as pequeninas veias amarelas retratadas por outros mapas toparia com fronteiras, estados e países distintos, cidades com nome de Fairplay e Ojo Caliente, e Juárez se continuasse, e Chihuahua e Zacatecas. E se prosseguisse, terra adentro, passaria pela Cidade do México e por Oaxaca, e depois viriam a Cidade da Guatemala e Tegucigalpa, Manágua, Alajuela, Cidade do Panamá, Medellín, Bogotá, e de repente eu veria o Brasil amazônico diante de mim. Seguindo em frente, haveria o Araguaia e sua memória e seu esquecimento de uma guerrilha, e dali, atravessando mais uns três estados, eu toparia de novo com a praia de Copacabana e seus moluscos atlânticos dormindo sonos azulados no fundo do mar.

Em todos esses lugares, todos eles, existiam vários Daniéis e vários pais de garotas de treze anos. Alguns possivelmente extraviados.

Eu tinha vontade de ir até o Novo México, falei, sem nem perceber que havia falado, por isso levei um susto quando Fernando deu de ombros e disse podemos ir.

Podemos visitar a casa onde eu morava? (A casa onde eu morava: personagem de conto de fadas. Ser imaginário.) Podemos visitar essa June?

Por que não?

Olhei para ele e por dentro da garganta perguntei, sem deixar a voz sair: Por que é que você está fazendo tudo isso?

Mentalmente, ele respondeu: Porque você me pediu.

Depois desviou os olhos, nem ele nem eu gostávamos muito de palavras cor-de-rosa, mesmo as palavras cor-de-rosa que não vinham à tona, que ficavam de tocaia. O mero potencial, a simples chance de uma coisa assim existir perigava deixar o mundo mole e melado, e num mundo mole e melado as pessoas não vivem, elas apenas escorregam e se lamentam.

O lobo do homem

Meu pai. A ideia ainda soava quase fantasiosa. Uma busca ao tesouro. Um pote de ouro ao pé do arco-íris. E se eu chegasse ao pé do arco-íris e o pote de ouro fosse, na verdade, recheado de moedas de chocolate vagabundo, desses com gosto de parafina? E se o arco-íris não tivesse pé?

Talvez meu pai também fosse um fenômeno ótico. Vermelho, laranja, amarelo, verde, azul, índigo, violeta. Dispersão da luz do sol. O x que marcava no mapa o local do tesouro mas talvez reservasse um buraco silencioso onde alguém já esteve antes. Um chiste. Um embuste.

Meu pai podia estar: preso, morto, viajando, exilado, internado num hospital ou num hospício, vivendo nas ruas, numa ilha caribenha, numa base militar na Bulgária, numa base científica na Antártida, num mosteiro budista nas Filipinas, vendendo quadros e fumando cachimbo numa ponte em Paris.

Meu pai podia ser um homem velho demais, jovem demais, esquisito, bonito demais, magro demais, brilhante, arredio, careca, bem-humorado, gordo demais, extrovertido, religioso, cabeludo, feio, bastante culto, um tanto míope, atlético, meio brigão, barbudo, bem-sucedido, dono de grande talento musical. Meu pai podia ser pai de outras filhas e de outros filhos.

Eu listava todas as possibilidades mentalmente enquanto fazia o café, certa de que meu pai não se deixaria adivinhar em nenhuma delas. Isso dava certa angústia. A angústia é um sentimento inimigo que segura o seu estômago com dedos tortos e frios e possessivos.

O café, de marca brasileira comprada na loja de produtos brasileiros, gotejava dentro do bule. A torrada torrava na torradeira. A casa, aninhada em suas cortinas fechadas e em suas portas fechadas, cheirava a café e torrada.

Fernando dormia e talvez em seu sonho houvesse os rostos do meu pai, o rosto da minha mãe. Ou os rostos daquela guerra amazônica que, eu ainda não sabia, ele não esqueceria nunca. Esqueceria, antes, seu telefone, seu endereço, seu próprio nome, o som da sua própria voz, mas não aquilo. Quando o inimigo avança, recuamos, e quando precisamos recuar às vezes tropeçamos em nós mesmos.

Ele dormia e eu preparava o café que ficaria ali no calor artificial da cafeteira elétrica por tempo demais até sufocar toda a sua integridade num gosto de palha queimada. Bebi o café fresco e comi a torrada e peguei a mochila e o casaco.

No fim de outubro eu e Carlos fomos pedir balas na vizinhança usando capas pretas e máscaras com olhos esbugalhados e expressões demoníacas. Quando voltei para casa, Fernando estava sentado na sala, no escuro, as mãos cruzadas atrás da cabeça. Ele escutava uma daquelas músicas brasileiras velhas, anteriores ao meu nascimento e talvez até ao nascimento dele, que eu conhecia de ouvido porque minha mãe costumava escutar também.

Quem é esse mesmo?

Noel Rosa, ele me respondeu.

Hm.

Sentei-me ao seu lado. Coloquei a mão na sacola de balas e peguei alguma coisa ao acaso.

Quer? perguntei.

Ele disse que sim. Peguei uma outra coisa ao acaso e ficamos os dois sentados ali, na penumbra, comendo balas doces demais com sabor artificial de frutas, eu pensando na música que minha mãe costumava ouvir também, ele pensando algum pensamento só seu.

De repente olhei para ele e achei que todas as rugas, mesmo com a pouca luz que vinha da rua, estavam mais fundas, mais pronunciadas, que a pele do seu rosto era como roupa molhada pendurada num cabide.

Toquei meu próprio rosto com as duas mãos. Passei as pontas dos dedos ao redor dos olhos, na testa.

Em que momento será que você percebia que estava começando a envelhecer? Será que já existiria algum sinal aos treze anos, uma ruga minúscula, um pequeno vale começando a ser erodido onde antes era só planície? Sobre o meu lábio superior havia uma penugem muito fina. Eu tinha que começar a depilar. Minha mãe usava um creme para isso e ficava com um bigode branco durante oito minutos, uma vez por mês. Depois ela tirava o creme e o lugar ficava meio avermelhado durante algumas horas. O creme tinha um cheiro estranho, uma mistura de essência floral com laboratório de ciências.

Que dia é o seu aniversário, Fernando? perguntei.

Hoje, ele me disse.

Como assim?

Hoje, 31 de outubro.

Sério? No dia das bruxas?

Pensei se era por causa daquilo, do seu aniversário, que as rugas no rosto dele estavam mais fundas. Vai ver essas coisas não ocorriam progressivamente mas em ondas, em ciclos, e quando você fazia aniversário seu corpo se dava conta de que tinha que acompanhar o número indicativo da sua idade, mais um ano, um ano a menos. Como se acordasse de repente com um despertador, cheio de sono e com olhos pesados, e fosse cuidar da tarefa de envelhecer. Para depois voltar a se deitar e esperar até o momento de envelhecer mais um pouco.

No dia seguinte chamei o Carlos para ir comigo procurar um presente para o Fernando. Compramos uma camisa amarela que não se parecia em nada com algo que o Fernando fosse usar. Mas ele usou já naquele primeiro dia, e levou a mim e ao Carlos para comer pizza e eu e Carlos tomamos *ginger ale* e ele tomou uma cerveja mexicana numa caneca de vidro que vinha com uma fatia de limão na borda. Ele tirou o limão e espremeu dentro da cerveja depois deixou boiando ali, o que eu achei um pouco repugnante, porque o limão esbugalhado agora me fazia pensar em refugos, em latas de lixo e restos orgânicos malcheirosos.

Fernando parecia um extraterrestre com a camisa amarela e acho que sabia disso, mas usou-a com convicção naquele dia e várias vezes depois. Todas as vezes que Carlos o via com a camisa amarela dizia: *La camisa de cumpleaños*. E Fernando dava uns tapinhas em sua cabeça, e ele depois ajeitava o cabelo, como se fosse possível despentear aquele eterno corte escovinha. Carlos ficava visivelmente satisfeito com aquele momento de camaradagem masculina, comentários sobre a camisa, tapinhas na cabeça que eram uma variante dos tapas nas costas, adaptados à diferença de idade e de altura. E o amarelo deixando Fernando com uma aparência cem por cento equivocada, coisa que não incomodava nem a ele, nem ao Carlos, nem a mim.

Durante a pizza comemorativa do aniversário, Carlos quis saber quantos anos Fernando tinha feito. Fernando disse que eram cinquenta e sete.

You old, Carlos comentou. *How say old in portugués?*

Velho, Fernando respondeu.

Velho, Carlos imitou, rindo. Achava a palavra engraçada. Velho, repetiu. E aparentemente achava simpática a ideia de Fernando ser velho. Estendeu a mão gordinha por cima da mesa e segurou a de Fernando. *I like you así mismo. I not care you are velho. Eres mi amigo. My friend. How say friend in portugués?*

Amigo, respondi.

Ah! ele era pura felicidade. Ele sempre era pura felicidade quando descobria palavras iguais na sua língua e na nossa. Quando se deparava com mais uma de nossas muitas interseções latinas. *Amigo en portugués, amigo en español. Qué bueno.*

Ele usava uma blusa de malha vermelha um pouco pequena para ele, com a estampa de uma bola de beisebol. Carlos vivia cercado pelas bolas dos esportes que não praticava.

* * *

Chico e Manuela estavam vivendo juntos quando a guerra começou, em abril de 1972. A essa altura já tinham se transferido da Faveira para a base de Chega com Jeito.

Para Pedro, o primeiro militante preso, a guerra era de outra ordem e tinha começado antes. Quando tentou se matar, na cela, não cortou os pulsos: havia aprendido no treinamento que isso dificilmente levaria à morte. Fez, ao contrário, cortes fundos nas veias na altura dos cotovelos, usando giletes que não sabia como tinham ido parar em suas mãos.

Sobreviveu. Fascistas! e foi amarrado na cama. Mas usava a perturbação legítima resultante da sua condição (*Agora você vai conhecer as torturas que aprendemos no Vietnã*, lhe disse um oficial) para desnortear, na mata, os agentes da repressão: tropeços, olhos vidrados. Tinha sido levado de volta ao Araguaia a fim de reconhecer os locais de treinamento de guerrilha. Na casa de um compadre seu, morador da região, os militares afirmaram: é um mentiroso! Como pôde batizar uma criança se é comunista e os comunistas não acreditam em Deus? Na cadeia em Xambioá (que não era a bela Xangri-Lá em meio a um vale nos Himalaias), numa cela sem privada, ele ouvia gritos femininos que pareciam vir de uma sessão de tortura. Blefando, diziam-lhe que eram os gritos de Tereza, sua mulher. Pedro levava choques elétricos nos cortes feitos nos braços. Uma vez lhe encostaram uma faca no olho e disseram repita que é comunista. Ficava pendurado no teto, nu. Continuava sobrevivendo. E afinal confissões não se conseguem com bombons, disse, em algum momento, um homem do clero.

No mundo lá fora, a guerra começou e Fernando estava na guerra. Aquele Fernando que um dia abriria diante de mim um mapa muito usado do Novo México e um mapa muito usado do Colorado sobre a mesa de jantar. Tanto tempo, tantas vidas entremeadas no tempo, o homem é o lobo do homem?

Olho para os meus braços sem cicatrizes e penso cortes e penso choques elétricos. E me pergunto como as vidas viradas ao avesso e as pessoas viradas ao avesso reencontram o seu direito.

Não reencontram. Ficam primas da árvore que nasceu no barranco, o tronco torto para sempre e as folhas se espichando crédulas ao sol porque é isso que as folhas fazem. Ficam primas do cão escorraçado que come o prato que um dia resolvem lhe dar porque é isso que os cães fazem. Em Lakewood, Colorado, não havia cães de rua. Em Copacabana havia, e eles eram quase sempre feios e tinham sempre urgência em tudo, tinham urgência em viver aquela vida que se resumia a ter urgência em viver aquela vida, isentos de pet shops. Se você colocasse um prato de comida no chão e desse a entender que não ia chutá-los caso se aproximassem, os cães de rua de Copacabana vinham, mas não comiam. Devoravam. Em segundos. Fosse qual fosse a comida e fosse qual fosse a quantidade. O homem é também o lobo do lobo? O lobo do cão? Quando o Exército invadiu a base de Chega com Jeito e notícias alcançaram a base da Gameleira, uma das providências da fuga foi matar o cachorro do acampamento, para que não chamasse a atenção dos militares com seus latidos.

A guerra começou para Fernando, que era Chico naquele lugar e naquele dia. Recebeu o nome de Peixe III a operação do pelotão antiguerrilha que pretendia *realizar uma incursão com tropa sobre o "ALVO" a fim de capturar, neutralizar e/ou destruir o inimigo* (sendo o "ALVO" determinada região onde se suspeitava que houvesse elementos subversivos).

Fernando me contou que os guerrilheiros fugiram. Foi por pouco. Da mata, chegaram a ver o Exército cercando a casa principal, helicóptero e tudo.

Nos dias que se seguiram, os militares encontraram outras bases, mais ao sul. Ali também não conseguiram prender ninguém, mas apreenderam bombas de fabricação caseira, munição, comida, remédios, máquina de costura, roupas, mochilas. Além, claro, de literatura subversiva. O Exército transitava com dificuldade pela mata. E o único helicóptero de que dispunham, naquele momento, era emprestado.

Pelo sim, pelo não, desconfiaram do nordestino que vinha um pouco apressado demais por uma picada, certa manhã. Pararam o sujeito e pediram explicações, as explicações não foram suficientes e o nordestino, na verdade o militante Geraldo, foi preso, submetido a tapas e afogamentos e obrigado a ficar em pé sobre latas abertas. Encontram com ele um bilhete que dizia *C: exército na área. cmte. B.* A perdição. Em Brasília, dias mais tarde, ficaram sabendo que o nome verdadeiro daquele tal de Geraldo era José Genoino Neto, o comunista que andava clandestino havia quatro anos. Fazia três que ele vivia ali, no Araguaia, aprontando a guerrilha.

Os militares preparavam Ações Cívico-Sociais, as Acisos, para mascarar os motivos reais de sua presença por ali, e também para tentar conquistar a simpatia da população, num cabo de guerra com o trabalho social desenvolvido pelos comunistas. Com a Operação Peixe IV, em maio, os militares pretendiam corrigir os erros das ações anteriores e obter mais informações sobre identidade, número e localização do inimigo. Alguns homens do Exército, da Marinha, da Aeronáutica e da Polícia Militar do Pará foram designados para se infiltrar na população.

Nesse mês morreu o primeiro militar vítima da guerrilha do Araguaia: o cabo Odílio Rosa, 26 anos de idade. Com um tiro na virilha, num encontro surpresa à beira de um riacho, quando tudo parecia tranquilo e a mata era quase afável, quase confortável, com a sinfonia ingênua de insetos e pássaros sem tendências políticas.

De um lado, quatro militares e o mateiro que os acompanhava. Do outro, dois guerrilheiros comunistas. Naquele primeiro confronto, os guerrilheiros Osvaldão e Simão dispararam dois tiros. Um atingiu o sargento Morais e outro matou o cabo Rosa, cujo corpo ficou uma semana na floresta, sem ser resgatado.

O fator surpresa e a superioridade numérica, segundo relatório das Forças Armadas, explicavam a derrota. O relatório também atribuía a dificuldade de remoção do corpo do cabo Rosa à suposta ameaça de morte feita pelos subversivos a qualquer um que tentasse resgatar o primeiro militar tombado no conflito.

Veio a Operação Peixe V, com o resgate como missão.

Os militares se decidiram pelo emprego de tropas ostensivas na região. Agora tinham aviões de observação e helicópteros. Três pelotões e um destacamento de paraquedistas rumaram para o Araguaia.

Também em maio a guerrilha assinou seu primeiro comunicado. Não mencionava o Partido nem falava do treinamento que vinha acontecendo na mata havia alguns anos. Mas anunciava a criação da União pela Liberdade e pelos Direitos do Povo, a ULDP.

> *O povo unido e armado derrotará seus*
> *inimigos.*
> *Abaixo a grilagem! Viva a liberdade!*
> *Morra a ditadura militar!*
> *Por um Brasil livre e independente!*
> *Em algum lugar da Amazônia, 25 de maio*
> *de 1972.*
> *Comando das Forças Guerrilheiras do*
> *Araguaia*

Então Chico teve medo, pela primeira vez. E aprendeu a arte da desconfiança.

Ele não sabia que tinha aquilo dentro dele. Talvez porque nunca antes tivesse olhado a morte na cara, bem dentro dos olhos. Ele tinha ouvido falar da morte, escutado descrições, passado ao seu lado e talvez até esbarrado nela, sem saber (ops, me desculpe, sim?), e seguido andando, com o passo largo e o assobio ensolarado dos seguros-de-si. Enquanto a morte, de chapéu e sobretudo, virava o rosto e franzia a testa às costas daquele sujeito despreocupado. Mas olhar para ela e topar com os seus olhos bem abertos, sem disfarces, e com o inominável lá dentro, sustentar o arco daquela competição desigual, isso era outra coisa. Pela primeira vez ele comentou com Manuela que, em sua opinião, a guerrilha não tinha como dar certo.

A superioridade deles, disse Chico.

Não desanima. Eles não sabem andar pela mata. A gente está aqui faz muito mais tempo. (Será que, dos dois, justo ela, que não tinha a Academia Militar de Pequim nas costas, que não sabia fabricar armas, será que justo ela domaria o medo feito uma encantadora de serpentes, justo ela andaria sobre as brasas e dormiria na cama de pregos?)

Bobagem, disse Chico. Eles contratam mateiros. As pessoas se vendem por um nada.

As pessoas se vendiam por um nada. A primeira morte de um guerrilheiro aconteceu pouco depois, graças à denúncia de um camponês conhecido como Cearensinho. Enviado à sua casa para buscar um rolo de fumo, o guerrilheiro Jorge topou com o Exército e foi metralhado. Cearensinho era considerado um amigo.

A superioridade deles, disse Chico. No fim de maio o Exército tinha mais de duzentos homens na região. Não que Chico estivesse a par dos números.

Também no fim de maio o Exército listava cinco presos num documento intitulado *Informação Especial nº 1*. Entre eles, um barqueiro e agricultor que apareceu enforcado na cela, um "comunista fichado", um "advogado" e mais dois homens sobre os quais nada era dito. Omitia a prisão de outros quatro moradores da região e a captura de quatro guerrilheiros.

A ULDP (ou "os terroristas da região sudeste do Pará", conforme o Exército) redigiu um manifesto com 27 reivindicações. Entre elas: *Terra para trabalhar e título de propriedade de posse. Redução dos impostos para o trabalho na terra e para o pequeno comércio; isenção para pequenos e médios lavradores; fim da participação da polícia na cobrança dos tributos. Assistência médica nos distritos, com postos ambulantes instalados em barcos e caminhões. Criação de escolas nos povoados, nas margens dos grandes rios e nas proximidades de plantações; construção de internatos para crianças de locais distantes. Proteção à mulher; em caso de separação, direito a uma parte da produção do casal e dos bens domésticos; ajuda à maternidade; cursos práticos para a formação de parteiras. Trabalho, instrução e educação física para os jovens; construção de campos de futebol e basquete, pistas de atletismo e ajuda à criação de centros recreativos. Respeito a todas as manifestações religiosas, com permissão para a prática da pajelança, terecô e espiritismo. Emprego de boa parte dos impostos na construção de estradas, pavimentação de ruas, instalação de luz e água, manutenção de escolas e serviços médicos. Planos de urbanização e desenvolvimento das cidades, facilidades para a construção de casas, estímulo à criação de bibliotecas e rádios. Respeito à propriedade privada, sem prejuízo à coletividade; apoio às iniciativas privadas progressistas, à pequena e média indústrias e ao artesanato.*

* * *

Mais adiante, o Exército usaria a Clareira do Cabo Rosa como local simbólico de execuções sumárias de guerrilheiros. E só mais de três décadas depois isso viria à tona nas páginas dos jornais, quando os ex-guias do Exército rompessem o silêncio durante as buscas pelas ossadas dos desaparecidos.

Leio um comentário on-line: Que tal botar esse campo pra funcionar novamente? Mas dessa vez façam o serviço completo. É a nossa única chance de morar num país que preste.

Leio outro comentário: O exercito fez o que TINHA A OBRIGACAO de fazer dadas as circunstancias da epoca. A proposito, estah na hora de fazer de novo para liquidar com este bando de ladroes, corruptos que se apoderaram de Brasilia!

Leio outro comentário: Só os covardes e os facínoras tem medo da verdade. Com certeza, é o caso desses que tanto se opóem a esclarecer os fatos sobre as execuções do Araguaia. Obviamente, tais covardes devem estar com medo de se explicar diante de seus filhos, netos e amigos na hora em que estes descobrirem que aquela imagem de herói e defensor da Pátria que sempre lhes colocaram, na verdade, não passam de sádicos e torturadores

Leio outro comentário: O que eu não aguento é pagar em dinheiro pelas tais escavações. Quem deveria pagar é o PC do B e seus afins que

retiraram os inconsequentes de suas casas, alicia-
ram, doutrinaram, treinaram, fanatizaram e ainda
lhes deram uma arma para "brincar" de Che Gue-
vara, tudo a mando do mais facínora dos ditadores, Fidel Castro.

June me ligou ontem à noite, disse Fernando. Você
já tinha ido dormir. Alguém que ela conhece parece que 'sabe da mãe do Daniel.

A mãe do Daniel. Um universal absoluto
inteiramente inédito. Em busca do meu pai, eu topava com uma avó cem por cento viva, material,
corpórea, com coordenadas definidas. E também
não sabia que diabos era isso. De repente minha
vida se recheava de familiares em potencial. Será
que eu teria toda uma série de tios, tias, primos,
tios-avós, primos de segundo grau? Uma árvore
genealógica feliz como uma macieira, fértil em galhos e folhas e frutos? Nunca tinha pensado nisso.

De acordo com essa pessoa, a mãe do Daniel mora perto de Santa Fé. Ela se chama Florence e é artista.

Ainda por cima uma avó artista. Esbocei
mentalmente o retrato de uma velha hippie muito
magra, com tranças no cabelo grisalho e uma blusa de batik.

Você pode telefonar para ela?

Em primeiro lugar, June ainda não conseguiu o telefone dela. Mas se eu telefonasse ia dizer

o quê? Ia dizer olá senhora mãe do Daniel, a senhora não me conhece, mas estou aqui em companhia da filha adolescente do seu filho, a senhora saberia me dizer se ele por acaso está vivo e, se estiver, onde é que ele se encontra no momento?

Lá fora era o barulho daquela engenhoca esquisita, aquele aspirador de pó ao contrário que eles usavam para limpar as folhas secas da rua, amontoando-as em pequenas colinas compactas.

Desculpe, disse Fernando. Mas pare e pense. O que é que eu ou você íamos dizer ao telefone para a mãe do Daniel?

O que é que a gente faz, então?

Não sei, vou pensar. June ofereceu ajuda. Tenho uma faxina para fazer agora. Me espera para almoçar, eu não demoro muito.

Ele abriu a porta, olhou para a rua e parou um instante. Por que será que tem um carro da polícia em frente à casa do Carlos?

No dia seguinte ficamos sabendo que a irmã do Carlos, aquela que trabalhava como camareira num hotel no *tech center* e pretendia estudar medicina em Harvard, tinha largado o emprego e ido embora com o namorado para a Flórida.

Fazer o que lá? perguntei ao Fernando, depois de uma breve conversa que ele teve com o pai do Carlos. (Fernando nunca procuraria o pai do Carlos para assuntar as razões e desrazões da presença do carro da polícia, ou qualquer outra coisa, mas os dois se encontraram na rua, e o pai do Carlos contou a história como se fosse um preso político ansioso para colaborar e evitar a tortura.)

Não tenho ideia. O pai não me disse nem eu perguntei. A mãe teve um ataque histérico. A vizinha chamou a polícia. Trocando em miúdos.

Levaram ela presa?

Ele riu. Não, não levaram ela presa.

E, depois de um tempo:

A vizinha não tinha nada que se meter e chamar a polícia.

Vão mandar eles de volta para o país deles?

Não que eu saiba, Fernando disse.

Naquela manhã eu estudei matemática, terminei de ler um livro e fiz o resumo que tinha que fazer, me atrapalhei com o creme para depilar os pelos do rosto e cortei um pouco do cabelo, diante do espelho. Depois fui até a casa do Carlos. Ele estava sentado muito quieto no chão, diante da tevê.

Carlos, tu amiga Vanja, anunciou o bigode do pai dele. Não vi a mãe.

Carlos olhou para mim ainda sério. Era uma seriedade de crianças que de repente são menos crianças. Pokémons deslizavam pela tela da televisão em companhia de meninos japoneses de olhos imensos e cabelos pontudos.

Hola, ele disse. E me estendeu um pacote de batatas fritas e perguntou se eu queria.

Sentei-me diante dos Pokémons. Carlos escorregou devagar os dedos pelo tapete e segurou a minha mão. Depois ele sorriu quando o menino japonês de olhos imensos gritou *Pikachu, I choose you!* e me perguntou se quando o desenho acabasse ele podia ir lá em casa jogar no computador do Fernando.

Lá fora, uma forte chuva bissexta impregnava o mundo semiárido com o elemento estranho. E a umidade ficava suspensa no ar: perplexidade. Ponto e vírgula entre dois estados: o seco, o muito seco.

É sempre estranho quando chove em lugares assim. Parece que algo desandou, que algum acerto prévio se descumpriu. E depois a chuva se muda e sua memória migra para dentro de plantas com folhas gordas que vicejam num outro registro do verbo vicejar.

A mãe histérica do Carlos não tinha como saber, aliás nenhum de nós tinha, que seu futuro dourado estava em sua filha fujona.

A ex-camareira do hotel no *tech center* de Denver e ex-futura-aluna de Harvard não tinha ido à toa para a Flórida.

Depois de passar vários anos servindo café aguado e ovos com bacon numa lanchonete, ela diria adeus ao namorado excessivamente ciumento e cederia às tentativas de sedução rotineiras de certo freguês da lanchonete. Que frequentava o estabelecimento não por causa do café aguado e dos ovos com bacon (quase tão ruins quanto o café), mas por causa da moça jovem e morena com um sorriso de dentes tão brancos: aquele contraste era a coisa mais bonita que o freguês reincidente já tinha visto na vida. Ela sorria quando ele fazia algum comentário divertido, e ele aprendeu a fazer comentários divertidos só para vê-la sorrir. Aquilo era tolo, prosaico e sincero. E ele voltava, todos os dias, como um cinéfilo obcecado indo ver sessões diárias de seu filme preferido.

Ao contrário dela, de seu namorado excessivamente ciumento e das famílias de ambos, o freguês da lanchonete tinha *papeles*. Mais do que isso. Ele era gringo. Americano mesmo, de pai e mãe americanos e avós irlandeses. Se era vinte e tantos anos mais velho do que ela, e daí? Ele tinha uma casa de três quartos em Tallahassee, com uma televisão nova e um belo gramado que podava regularmente com seu cortador de grama elétrico Black & Decker.

Quando a imigrante ilegal salvadorenha e o gringo se casaram, eles colocaram mais um carro na garagem e os dois carros, o dele e o dela, tinham cores combinando e placas personalizadas HIS XO e HERS XO. Ideia dela, que gostava daquele jeito gringo de usar as duas letras, XO, para indicar um beijo e um abraço (ela não tinha certeza da ordem). Colocar beijos e abraços no para-choque era uma forma de confraternizar com o mundo. Socializar sua felicidade nas placas DELE e DELA.

Compraram mais uma televisão, assim cada um podia escolher o seu programa sem conflitos. E ela agora nem precisava mais trabalhar, podia ficar em casa cuidando das crianças, quando as crianças viessem.

Mas antes das crianças vieram o pai e a mãe da ex-camareira e ex-garçonete, que ela mandou buscar no Colorado e instalou no quarto extra.

Todas as mágoas de parte a parte então se desmancharam sob o sol alegre da Flórida, que era tão diferente do sol semiárido do Colorado, tão melhor, tão mais humanitário. O sol do Colorado usava palmatória e tinha os lábios curvados para baixo, entre montanhas literais de rugas. O sol da Flórida servia suco de laranja processado com um sorriso, de sandálias e bermuda, bem informal. E não tinha aspirações a Islândia no inverno.

A família encontraria a felicidade ali. Mas oito anos antes ninguém tinha como saber disso.

Corvus corax, Corvus brachyrhynchos

Quando Fernando, seu futuro marido e futuro ex-
-marido, foi viver no sul do Pará, a fim de ensaiar
e de encenar a guerrilha, minha mãe tinha nove
anos e acompanhava o pai geólogo rumo a outro
país. Era apenas curioso, mais nada, o fato de esse
outro país ter relações perigosíssimas com o golpe
militar no Brasil e com tudo aquilo que Fernando,
arma em punho, combatia. Quando Suzana poderia imaginar, aos nove anos. Um ex-guerrilheiro
comunista como marido.

Não que ela conhecesse intimamente essas
palavras, não que soubesse o seu significado. Sabia
apenas o que seu pai lhe dizia: que os comunistas
eram gente ruim.

Ela viu um astronauta de seu novo país es-
petar a bandeira de seu novo país em solo lunar, no
mês de julho. Achou aquilo estranho e belo. Ouviu falar de Woodstock e da selva do Vietnã, que
no entanto estavam na periferia dos seus interesses,
e tanto lhe fazia que Nixon se dirigisse à "maioria

silenciosa" num pedido de apoio à guerra. Ela não se achava silenciosa, desconfiava que não fazia parte da maioria e nem sabia exatamente o que era a guerra. E além do mais tinha só nove anos, e não estava bem certa de que Nixon se dirigisse a meninas de nove anos em seus pronunciamentos.

Um dia ela viu, às escondidas, as fotos da aldeia de My Lai na revista *Life* – quando o massacre finalmente veio à tona, para depois sumir da memória pública, à exceção de um ou outro surto de recordação com começo, meio e fim.

Os corpos, aquele amontoado de corpos destroçados. Vietnamitas: mulheres, velhos, crianças. Bebês. Palavras estranhas: civis torturados, estuprados, espancados, mutilados, pela suspeita de que houvesse vietcongues escondidos entre eles. (Vietnamitas ela sabia o que eram, vietcongues não. Perguntou ao pai, sem mencionar a *Life*. Os comunistas de lá, ele disse.) Casas queimadas. Animais domésticos mortos, mutilados. Ela se perguntou se animais domésticos também podiam ser comunistas. Talvez no Vietnã. Talvez seus donos os treinassem para isso. Para reconhecer não comunistas pelo cheiro e atacá-los. As vacas com as patas e os chifres. Os cães com os dentes. E assim por diante.

Mais tarde ela veria o tenente William Calley, que comandou o massacre de My Lai, cumprir em regime de prisão domiciliar três anos e meio da sentença original de prisão perpétua. O memorial em My Lai, Vietnã, listaria mais de quinhentos mortos, com idades entre um e oitenta anos. No novo país de Suzana e seu pai, alguns se indignavam que Calley fosse o único punido. Veteranos da guerra do Vietnã inclusive. Outros o consideravam um patriota e um herói, porque numa guerra, afinal, responde-se ao fogo inimigo como é possível. Mesmo quando não há fogo inimigo. A resposta não precisa se suceder à pergunta, pode antecedê-la – e os fins, é claro, justificam os meios.

Suzana me falou das fotos de My Lai a cores na revista *Life* e de Nixon conversando com os astronautas na Lua. Foi durante umas férias na Barra do Jucu. Estávamos na praia e era de noite. Ela segurava uma lata de cerveja na mão e contava coisas de quando era criança. Não me lembro de todas. Lembro-me daquela noite, do vento fresco e da minha pele quente, lembro-me da cor da lata de cerveja, lembro-me do céu e das estrelas sobre a Barra do Jucu e das fotos que não vi na revista *Life* e do pronunciamento que não ouvi Nixon fazer. Mas de todo modo, entre as coisas de que a gente se lembra e as de que não se lembra, entre as que conhece e as que desconhece, é preciso tapar os buracos da memória com a estopa de que se dispõe. E talvez qualquer tentativa de conhecer o outro seja sempre isso, nossas mãos moldando tridimensionalidades, nosso desejo e incompetência montando um álbum de colagens para fazer levantar dali um morto, um amigo, um amante misterioso que quando clareia o dia vai para a janela e fica contemplando o nada, sem dizer uma palavra. Um filho por demais arredio, um professor lacônico, um colega de trabalho sem senso de humor, que olha sério dentro dos nossos olhos quando contamos uma piada irresistível. As pessoas que desconhecemos ou estranhamos. Todas as pessoas.

Minha mãe aprendia inglês na escola e espanhol na rua, quando criança. Segundo fotografias, suas pernas e seus braços não terminavam nunca, e seu cabelo também não. Seu rosto era latino e comum.

Meu rosto é latino e comum. Olho para a fotografia no passaporte com que entrei nos Estados Unidos da América há nove verões.

Olho para a minha mãe nos meus olhos. Sentir sua falta já não inibe a minha vida. Pensar em quem ela seria. Como ela seria. Isso não é mais um mito.

Vi minha mãe pela primeira vez nos meus olhos quando folheei o passaporte a esmo, chegando em Denver e arrumando as coisas na minha mochila para desembarcar. Há nove anos.

A senhora ao meu lado me recomendou que usasse muito hidratante.

No aeroporto passei por uma moça chorando. Ela usava um vestido cor de laranja com uma estampa miúda de flores. Tinha cabelo encaracolado e louro. Seus olhos estavam vermelhos e havia rugas circunstanciais em sua testa. Ela era bastante jovem. Depois peguei um trenzinho para ir até a outra ponta do aeroporto e desci quando uma voz no alto-falante disse *welcome to Denver* e mais algumas coisas que não entendi.

Minha mãe era bastante jovem quando conheceu Fernando num pub em Londres, ela de férias com seu namorado americano, ele ali com copos de cerveja em lugar de armas. Ele ali boiando, peixe anômalo num tanque de seres distantes. Ele ali, uma aparição, um milagre, e o seu corpo vivo e íntegro como, por A mais B, não deveria estar. Ele ali, cantarolando a música inglesa em voz baixa e desafinada porque fazia tempos que já não tinha mais importância desafinar.

Ele a viu e decretou a continuidade do mundo, a extensão do tempo. A incorruptibilidade do coração, que tem seus próprios métodos e sua própria ética, como aliás qualquer músculo. Ele a viu e pensou que precisava, com desespero, de algo em que pensar.

Fazia anos que precisava de algo em que pensar e só agora se dava conta. Precisava de um território onde abrir picadas para voltar a se reconhecer. Fazia anos que não sentia o peso familiar do corpo de uma arma. Fazia anos que não sentia necessidade de amar uma mulher para além do compromisso cotidiano com a subsistência, só para evitar a chave de pescoço da solidão.

As coisas estavam alagadas por um deserto branco que vinha de dentro e se alastrava, um deserto viral, contagioso, onde os sons eram difusos, os sabores eram rasos, a visão era imediatista.

E a vida era uma contradição de termos: ele havia deixado a vida para trás a fim de continuar vivo, anos antes, e essa equação funcional e ilógica dava choques elétricos todos os dias nas cicatrizes abertas que ele não guardava do suicídio que não havia tentado cometer.

Talvez viesse a ser assim para sempre e talvez existir não fosse adequado, não fosse o sapato feito sob medida ou a temperatura regulada pelo termostato. Mas ele viu Suzana e falou com ela, e se o desejo e o desejo da felicidade eram um blefe, só havia um modo de descobrir.

Você não é daqui, o seu sotaque é diferente, ela disse ao Fernando.

Ele olhou para a garota de cara latina e voz americana e disse, tão britânico quanto possível, que ela também não era dali e que o sotaque dela também era diferente.

Ela virou as costas e ele disse em português mas você é a mulher mais bonita deste lugar.

Ela não era. Por isso não ouviu. Mas depois voltou para pegar mais cervejas e disse você tem uma cara danada de brasileiro.

E no dia seguinte voltou, depois de uma briga com o namorado americano. E mais tarde ela e Fernando se embriagaram juntos com o intuito de transformar o mundo num objeto fluido, e enquanto o sol tentava nascer em meio a uma bruma movediça e londrina eles adormeceram vestidos e bêbados nos braços um do outro e acordaram com dor de cabeça e sede e foi só então que tiraram as roupas um do outro e um para o outro. E foi só então que Suzana sentiu uma culpa magnífica por causa do namorado, e Fernando acatou o fato de que teria de ir para os Estados Unidos atrás dela. Como quem recebe uma lista de suas funções no primeiro dia de expediente num novo emprego.

Do outro lado da linha, Elisa chorava quase todas as vezes. Por isso eu preferia as cartas. A cada duas semanas me lembrava de colocar em duas folhas de papel um punhado de informações consistentes sobre a escola, a casa, o tempo, o time de *ultimate*, as árvores mutantes enferrujando nas calçadas e no quintal dos vizinhos, os livros, Fernando, Aditi, em algum momento Carlos, em algum momento Nick, em algum momento meu dentista, em algum momento a mãe do meu pai.

Eu queria juntar um dinheiro para ir aí te ver no Natal mas está meio difícil.

Do outro lado da linha ela chorava um pouco. Me diz que você está bem.

Estou bem, Elisa.

Depois ela pedia para falar com o Fernando e eles conversavam durante quatro minutos, em média.

A cada duas semanas eu recebia uma carta de Elisa falando do trabalho, de casa, da praia, do tempo, em algum momento de um homem que ela havia conhecido – filho de uma senhora que estou acompanhando, ele parece uma pessoa muito direita e me convidou para jantar no sábado. Não sei se aceito. Acho que vou aceitar mas deixa ele convidar de novo, que é para não dar a impressão de que eu estou assim disponível, sabe. Os homens gostam que a gente faça um pouquinho de jogo duro. Se for fácil demais perde a graça.

Carlos espiava a carta. Apontava para a palavra trabalho, formulava a palavra *trabajo*, e abria um sorriso. Apontava para a palavra tempo, formulava a palavra *tiempo*. Me perguntava o que significava a palavra filho. *Hijo*, eu dizia, e ele ficava um pouco decepcionado pela falta de semelhanças mais óbvias.

Perguntei ao Carlos se ele tinha avós. Ele sacudiu a cabeça afirmativamente e eu notei que as lentes dos seus óculos estavam imundas.

Me dá isso.

Lavei os óculos com detergente na pia da cozinha e sequei com o pano de prato.

Ele me disse que tinha dois pares de avós e que quando fosse grande ia visitá-los mas que no momento não podia ir embora da América porque se fosse não ia conseguir mais voltar. Só poderia sair no dia em que tivesse *papeles*. Seu pai tinha explicado isso. Era importante ficar na América e conseguir *papeles*. Seu pai tinha dito que se ele estudasse ficava mais fácil, então ele estava estudando. Bastante.

Da tela do computador, a imagem de um corvo nos espiava. Carlos tinha que fazer para a escola uma pesquisa sobre algum pássaro, e havia escolhido o corvo.

Ele me perguntou se eu sabia que os corvos eram muito inteligentes. E se eu sabia que alguns corvos também comiam bichos mortos. E que muitas espécies tinham sido extintas depois que os homens colonizaram lugares como a Nova Zelândia e o Havaí.

(Onde fica a Nova Zelândia? ele perguntou. Fui buscar um atlas e abri diante dele. Fica longe. A gente precisa atravessar o oceano para chegar lá. Tapei com o dedo o nome no mapa. Como se chama este oceano, testei. Ele pulou e respondeu Pacífico! num grito nervoso e crédulo. Aproveitou e observou que a Nova Zelândia também ficava longe do Brasil e de El Salvador, onde seus avós aguardavam sua visita no dia em que ele tivesse *papeles*. Depois me perguntou se eu achava que havia meninos da Nova Zelândia sem *papeles* no Colorado.)

Carlos me contou que existiam *los cuervos que los gringos llaman de crow y los cuervos que los gringos llaman de raven. No son lo mismo. Don't mistake. See: here los raven,* Corvus corax. *Here los crow,* Corvus brachyrhynchos.

Segundo o livro da biblioteca, *raven* é o indivíduo meditativo e arredio que você encontra no deserto, na tundra, nas planícies e nas florestas, nos grandes espaços abertos e mais ou menos desocupados. São grandes pássaros pretos com a cauda em formato de cunha e um colar de penas no pescoço. Formam casais, embora não se saiba ao certo se para a vida toda. Há indícios de que o casal dure pelo menos um ano. Os pais cuidam juntos dos filhos, muitos dos quais vão morrer nos primeiros anos de vida. Segundo registros, indivíduos selvagens podem chegar a treze anos de idade. Em cativeiro, a oitenta (na Torre de Londres, onde eles têm suas asas podadas em nome da tradição, para que possam ir e vir mas não em demasia, o mais velho chegou a 44). Não migram, mas podem se deslocar por pequenas distâncias a fim de evitar condições climáticas extremas. Não vivem em bandos. Preferem a solidão ou, no máximo, agrupar-se em pares. Gostam de pairar no céu, como se o ar fosse uma grande planície sem demarcações e eles não tivessem peso algum. Alimentam-se de praticamente tudo: frutas, brotos, cereais, insetos, anfíbios, pássaros, répteis, carniça, alimentam-se até mesmo dos outros bichos que se alimentam de carniça. Parece que o *Corvus corax* é um pássaro sério, e que respeita a vida e a morte.

Segundo o livro, *crow* é aquele pássaro igualmente preto que você encontra em espaços abertos, com árvores próximas. Ele também se sente à vontade em espaços urbanos – nos subúrbios, nos parques, nas cidades costeiras. Tem penas lustrosas. Iridescentes. É menor do que seu primo *raven*. Tem patas fortes e, quando jovem, olhos azuis que depois escurecem. Quando nasce, é alimentado pelos pais e irmãos mais velhos. Pode chegar a catorze anos de vida na natureza. Em cativeiro chega, em média, a vinte. Vive em sistemas sociais complexos em que o adulto se mantém mais ou menos próximo do local de seu nascimento e muitas vezes não se casa, preferindo cuidar dos filhotes dos outros. Às vezes migra, em bandos. O *Corvus brachyrhynchos* é onívoro. Come insetos e suas larvas, bichos atropelados na estrada, caça ratos e rãs e coelhos, invade ninhos de pássaros menores em busca de ovos, come nozes e frutas e cereais e tudo o que estiver disponível numa lata de lixo desassistida.

A mãe do Carlos continuava internada mas, segundo ele, viria para casa na segunda-feira. Ela chegaria mais magra e com pequenos vales escuros sob os olhos e com duas mãos invisíveis empurrando seus ombros para baixo e para a frente, envelhecendo-a, subordinando-a. E ela diria que queria voltar para San Salvador mas diria isso sem gritos, porque já havia aprendido, a essa altura, o quanto era perigoso pautar-se por decibéis em excesso e atrair as denúncias dos vizinhos, num lugar onde as pessoas efetivamente chamavam a polícia e a polícia efetivamente aparecia. Dias depois, convidaria a reincidente mulher dos folhetos para entrar em sua casa e conversar sobre Deus. Argumentaria que se Deus existisse ela estaria de volta a San Salvador. Com sua filha. E a mulher dos folhetos evocaria a inescrutabilidade dos projetos divinos. Mais tarde, já na Flórida, a mãe de Carlos recuperaria a fé e perdoaria Deus.

Carlos imprimiu as fotografias dos pássaros que encontrou para sua pesquisa. Os grandes *Corvus corax*, solitários e remotos, *los raven*. Os *Corvus brachyrhynchos, los crow*, e suas almas cooperativas e seu talento para latas de lixo. Depois ele me abraçou e disse que estava com saudades da irmã e me pediu um pouco de guaraná.

Eu lhe dei um pouco de guaraná e lhe disse que com sorte ele em breve ia poder visitar a irmã na Flórida. Assim que as coisas se acalmassem um pouco.

E ele me disse que até podia ser mas depois ele ia voltar, ele queria viver e morrer no Colorado e se possível perto de mim.

Depois perguntou ao Fernando, que nos observava do sofá, se achava que eu ia morrer quatro anos antes dele, Carlos, já que era quatro anos mais velha. E Fernando respondeu que essas coisas não eram assim. E Carlos pensou um pouco no assunto e disse, como quem promulga uma sentença, que era verdade ele tinha razão.

Carlos passou aquela noite conosco, depois de pedir autorização ao pai, e perguntou se podíamos ficar acordados até meia-noite. Assistimos televisão e jogamos cartas e antes da meia-noite ele já tinha adormecido no sofá com a boca entreaberta, roncando bem baixinho. Colocamos um travesseiro debaixo dos seus cabelos espetados, tiramos seus óculos e o cobrimos com um edredom.

No dia seguinte, um domingo, Fernando saiu cedo, eu não sabia por quê. Talvez tivesse ido nadar na piscina pública – aquela que era coberta e aquecida e que portanto não ficava oito meses por ano fechada ao público. Era mais ou menos a sua versão de uma vida social. Ele nadava mil metros em meio a outros braços e pernas semissubaquáticos e voltava para casa com cheiro de cloro e pendurava no banheiro uma toalha com cheiro de cloro.

Havia um bilhete seu em cima da mesa. Não explicava nada, apenas dizia OLHE LÁ FORA. Carlos ainda dormia, portanto abri com cuidado a porta da casa que acordava a contragosto.

Lá fora havia uma película branca por cima de todas as coisas – árvores, carros, telhados, rua, calçadas. Objetos pálidos bem pequenos e meio felpudos caíam flutuando do céu, sem som e quase sem peso. Alguns chegavam mesmo a subir de novo no ar, no meio da descida, em petelecos invisíveis do vento quase nenhum. Depois desciam de novo. Depois subiam de novo. Pareciam crianças em festa. Me abaixei, segurei um punhado da nata acumulada à porta de casa e apertei na mão. Senti o frio doer. O ar cortava o meu rosto, o ar entrava com lâminas pelas minhas narinas e pelos meus pulmões. Todas as coisas se deixavam tapar com aquela substância que até então, para mim, só existia em filmes e livros, aquela substância antitropical.

Quando o Saab vermelho estacionou diante de casa, pouco depois, eu e Carlos estávamos na rua, tontos de embevecimento com aquele fenômeno climático historicamente tão pouco nosso.

Minhas orelhas doíam e minhas bochechas doíam. Meu rosto estava vermelho e meu nariz escorria. Existia uma alegria de primeira vez dentro de mim, existia uma espécie de calma euforia. Eu era o menino do interior que vê o mar e se pergunta como é que aquilo não entorna. Eu era o caipira que se depara com os arranha-céus e se pergunta como é que aquilo não cai. E Carlos olhava para mim, imensamente feliz com a minha felicidade, e me dizia que também tinha sido assim com ele na primeira vez.

Acho que agora vamos precisar comprar aquelas botas, Fernando disse, ao passar por mim. Ele estava com cheiro de cloro. Pegou um punhado de neve e esfregou na minha cabeça, e eu protestei sem protestar.

Naquela noite sonhei com o frio. Era um frio áspero, o frio de um mundo que desdenhava dos bípedes pelados que pensavam mandar nele. Era um frio íntegro, casto. Sem a conveniência de casas aquecidas. Um frio sem contornos, sem estações e contra estações, só o frio. Eu não fazia parte do sonho, nem Fernando, nem Carlos, nem a família dele, nem meu possível pai, nem minha mãe, nem ninguém. O frio não requeria pessoas para inventá-lo.

Pela manhã, havia brotado um planalto de neve diante de casa. A neve conspira com o deserto. As coisas perdem os ângulos de seus contornos e o céu inteiramente branco gruda no telhado inteiramente branco, fazendo coincidir dois mundos, anulando distâncias. Existe nisso algo de sonho unificador, feito um esperanto. Já não havia cores. Tudo era o silencioso acúmulo da neve que caía pequena e incessante, tenaz como a morte conquistando um corpo. Mas estávamos vivos, e dentro de casa o conforto e o calor pareciam um prodígio. Ou um insulto.

Fernando pôs a caneca de café em cima da mesa. Calçou as botas, pegou uma pá larga e disse vou lá fora tirar a merda branca da calçada.

Fiquei esperando ele pedir desculpas por ter dito merda, mas ele não pediu.

* * *

Alguns dias seguidos de neve insistente (e uma nevasca na quinta-feira que deixou todo mundo ilhado em casa, as escolas fechadas, Fernando sem poder ir trabalhar) haviam transformado encostas calvas em pistas que crianças engordadas pelos casacos coloridos desciam em trenós coloridos. Foi quando Fernando apareceu em casa com o trenó vermelho de plástico e, me garantindo que não eu não ia morrer, me empurrou encosta abaixo.

Eu abri a boca na descida e engoli neve suficiente para promover uma espécie de autobatismo. Dali em diante eu era um deles. Era igual. Era mais uma menina acolchoada num casaco impermeável violeta, e botas pretas de borracha forradas com pelo sintético. E calças jeans que ficavam duras de frio e onde emplastros de neve grudavam. E luvas. E um gorro de lã com duas tranças de lã nas laterais. O casaco e as botas eram de ponta de estoque mas estavam bastante bons, embora eu achasse estranho ter todas aquelas texturas se interpondo entre a minha pele e o mundo. Eu agora existia em camadas.

O ar voltava a ser duro, mas a essência dessa dureza era outra.

Era preciso, de todo modo, acatar que ali as coisas raramente conheciam meios-termos. E de todo modo o que importava era que agora eu era um deles, sim, análoga, comparável a, semelhante. Numa confraria prosaica de corpos encasacados descendo encostas lisas, brancas, entre tombos reverentes e gritos de guerra. Eu também gritava, eu também levava tombos, eu também.

Carlos fechava os olhos e eu dizia abre os olhos, Carlos, de olhos fechados não tem graça, e num dos tombos ele perdeu os óculos e ficamos, em desespero, procurando por um bom tempo até que vimos a haste como um periscópio para fora de um monte de neve fofa.

Ao nosso redor, pinheiros espetados aqui e ali se pareciam com as árvores de Natal de plástico que eu e minha mãe decorávamos com algodão em dezembro. O céu estava azul, mas o sol era uma tangente. Entrava nos meus olhos por baixo, quase, como se os raios fossem flexíveis. Topou com as montanhas às cinco horas. Aviões deixavam trilhas brancas no céu, e rastros sonoros distantes, atrasados.

Eu e Fernando combinamos para o fim daquele mês de novembro, quando eu tinha uma semana de feriado (Ação de Graças) na escola, a viagem ao Novo México.

Era como se eu fosse uma atriz em estreia de peça de teatro. Estava no camarim me maquiando, colocando a roupa, repassando mentalmente algumas linhas, aquecendo a voz, *o papa não papa papa, o papa não papa pão, se o papa papa papasse, seria um papa papão*, como tinha visto o ator amigo da amiga da minha mãe fazer certa vez no camarim do Teatro Glaucio Gill, em Copacabana. (Instantes depois eu o vi no palco, transfigurado e seguro, belo e iluminado. Devia ser possível.)

Os mapas muito usados do Colorado e do Novo México ganharam remendos com durex. Saíram da gaveta e migraram para o porta-luvas do Saab.

Fernando foi pessoalmente à casa do Carlos pedir aos pais dele permissão para levá-lo conosco, depois da minha insistência (ele vai ficar tão sozinho, Fernando, uma semana inteira sem escola, você por acaso acha que os pais vão levar ele para passear?).

Os olhos do Carlos brilhavam como se alguém os tivesse acendido no interruptor. Mas a preocupação cotidiana o levou a perguntar se não precisava de *papeles* para ir ao Novo México, e se precisasse como é que ia fazer.

O bigode do pai dele falou, num espanhol espremido, que não era para o Carlos ficar dizendo por aí coisas como aquela. As pessoas denunciavam as outras (não, ele não se referia a nós – claro que não – nós éramos amigos – mas o Carlos tinha a língua solta). E num caso desses, no caso de uma denúncia, eles teriam que ir embora. IR. EMBORA. E o pior, teriam que deixar a Dolores para trás, porque agora ela estava na Flórida e a vida dela era outra coisa. E talvez nunca mais voltassem a ver a Dolores se por acaso tivessem que ir embora. E a mãe do Carlos começou a chorar baixinho e tapou o rosto com as mãos. Fernando pigarreou e olhou para a parede. Carlos foi imediatamente dominado pelo pânico, pediu desculpas e daquele dia em diante nunca mais pronunciou a palavra *papeles*.

Naquele momento, ele cresceu um pouco mais, confirmando minha teoria de que era assim que as coisas se davam, em surtos, em espasmos, e não numa continuidade aritmética. Todas as metáforas para o crescimento – degraus de uma escada, estrada com curvas aqui e ali – eram pura balela. Tudo acontecia mesmo aos trancos, como quando eu estava no avião indo para os Estados Unidos e em algum momento avisaram que era para apertar o cinto porque teria turbulência, e de repente aquele paquiderme aéreo que para os americanos havia sido inventado pelos irmãos Wright começou a trepidar em pleno céu. Trepidar como se houvesse um asfalto roto por baixo, e buracos, como em certos trechos da estrada entre o Rio de Janeiro e a Barra do Jucu.

Um piscar de olhos, uma nuvem, uma irmã que vai embora de casa com o namorado, uma frase dita por alguém envolvendo *papeles* e de repente você está mais velho. Dependendo da turbulência, quem sabe um dia a gente se deita com quarenta anos, no seguinte acorda com setenta.

* * *

Minha mãe devia ter ficado casada com você, eu disse ao Fernando na véspera da viagem, à noite, enquanto comíamos o macarrão que eu mesma tinha preparado usando o molho cujo rótulo vinha com a cara do Paul Newman.

E como é que você sabe que foi ela quem não quis mais?

Foi você?

Eu arregalei um par de olhos perplexos, ele riu.

Não. Foi ela. Foi a Suzana quem não quis mais. Depois de um tempo isso deixa de ter importância, quem quis, quem deixou de querer. De todo modo, as coisas com ela eram assim. Sensacionais enquanto duravam. Mas não duravam muito.

Ele cortou com a faca o macarrão, da maneira como minha mãe tinha me ensinado a não fazer. Você enrosca no garfo, assim, ela dizia. Dava um certo trabalho. Quando percebi que o Fernando cortava o macarrão com a faca resolvi cortar também. Etiqueta era uma coisa imbecil.

Sua mãe tinha uns ciclos, eu acho. Umas temporadas. De tempos em tempos ela precisava mudar as coisas essenciais da vida dela e às vezes essas coisas essenciais envolviam outras pessoas.

Com o meu pai foi a mesma coisa?

Não sei se com o seu pai foi a mesma coisa. Eu e ela nos casamos, você sabe. Assinamos papel, ela mudou de nome e tudo. No dia do casamento ela colocou um vestido branco e uma flor no cabelo, e fomos comemorar numa cervejaria com os amigos dela. Ficamos casados durante seis anos. Com o Daniel acho que ela só passou alguns meses.

Nos intervalos das palavras do Fernando, nos gestos dele, no modo como as duas sobrancelhas dançavam sobre seus olhos feito lagartas executando algum número de balé, percebi que ele queria reivindicar no mínimo aquilo: o posto de homem-mais-importante.

O homem com quem Suzana havia se CASADO usando um VESTIDO BRANCO e uma FLOR NO CABELO.

Você ficou com ciúmes?

Que ideia. Nem cheguei a conhecer o Daniel. Eu me mudei aqui para o Colorado quando me separei da sua mãe. Na semana seguinte. Passei uns dias no hotel, lá em Albuquerque, depois vim. Arranjei um emprego em Aurora.

Fazendo o quê?

Uma coisa ou outra.

Seis anos não é pouco tempo.

Isso depende. Pode ser muito tempo ou pode não ser quase nada.

Você ainda gostava dela?

Ele não olhou para mim. Deu de ombros e disse gostava.

Então deve ter ficado com ciúmes.

Talvez. É possível.

Eu suspirei. Não sabia se devíamos estar tendo aquela conversa. Cortei mais um pouco de macarrão e coloquei na boca.

Minha mãe era uma mulher meio complicada, eu disse.

Era, Fernando concordou.

Las Animas

No mapa, a Interestadual 25 conduzia com honestidade para o sul, até topar com a linha pontilhada onde o Colorado confrontava o Novo México, olhos nos olhos, testas alinhadas.

Tínhamos cinco ou seis horas de estrada pela frente. Paramos para encher o tanque no primeiro posto de gasolina e Carlos quis comprar um chocolate com parte dos doze dólares que tinha levado para despesas eventuais. Fernando comprou três garrafas d'água e um saco de salsa chips bastante ruins. No pacote dizia: FEITAS COM ABACATES E TOMATES DE VERDADE. Mas aquilo tinha gosto de qualquer coisa exceto abacates e tomates de verdade. Eu comprei um par de óculos escuros com aros cor-de-rosa e hastes azuis, levemente constrangedores. Depois fiquei esperando a manhã clarear de vez para poder usar os óculos. Mas a manhã custava a vir, como se fosse lento e um pouco doloroso arrancá-la de dentro de uma noite de outono com aspirações a inverno.

Carlos tinha telefonado na véspera para enumerar os itens de sua mala e me perguntar se eu estava de acordo. A mãe o havia ajudado na seleção, mas ele queria ter certeza certeza-mesmo de que sua mala tinha tudo o que era necessário. Não queria, naquela viagem que seria tão importante, se ver obrigado a reutilizar cuecas ou meias.

Uma viagem tão importante: pelos motivos-surpresa que se aninhavam nos dias futuros, aguardando o instante de pular. Trapezistas de respiração acelerada e tambores rufando lá embaixo.

Carlos não sabia de nada. Não estava a par dos fatos, de nenhum dos fatos. Mas a viagem era importante de acordo com os seus parâmetros pessoais. Era um acontecimento. Era a primeira vez na vida, por exemplo, que ele ficava longe daquela sua família movediça.

Passava um pouco das sete horas da manhã. Fernando tinha me derrubado da cama às seis e meia e me empurrado para fora de casa às sete. Ainda estava escuro quando acordei. No frio impiedoso que antecedia a aurora, o mundo era de um suspense plácido, de um sobrenatural sem assombros. Abria o rosto sem pressa para o sol que surgiria quando tivesse de surgir, nem antes, nem depois.

Paramos o Saab em frente à casa do Carlos, diante de um mosaico de mato ralo e pequenas poças de neve dura. Carlos foi até a rua de mão dada com o pai. Havia solenidade em seu rosto: ele talvez fosse um pequeno e bravo soldado a caminho de resgatar a nação. Um pré-herói de gorro e luvas. Estava com um cheiro distante de loção pós-barba. Enquanto trocávamos cumprimentos, um vapor pálido saía de nossas bocas. O céu era uma superfície bidimensional, leitosa e baça.

Os dois adultos fizeram comentários vaporosos e pálidos sobre o tempo. Não havia previsão de neve para aquela semana e seria uma boa semana, e as estradas estariam boas. O Saab vermelho roncava baixinho, o motor ligado, num atestado de serenidade e disciplina.

Pois bem, que nos divertíssemos e telefonássemos para dar notícias. Os dois adultos apertaram as mãos, o menino pulou para dentro do carro e a lua continuou imperturbável no céu descorado, tão pouco testemunha do que quer que se desenrolasse lá embaixo.

Logo depois, Carlos pediu para ver os mapas e ficou exultante ao constatar que antes de chegar a Santa Fé passaríamos por Las Vegas.

Fernando teve que explicar que não era *aquela* Las Vegas e que *aquela* ficava em Nevada e não no Novo México, e Carlos abaixou os olhos para o mapa outra vez, um pouco decepcionado.

Depois, inaugurando mentalmente um improvável capítulo turístico em nossas vidas, sugeriu que no próximo feriado fôssemos até a verdadeira Las Vegas. Ou então até Nova York, uma outra cidade da qual ele já tinha ouvido falar bastante.

Meia hora depois, tinha adormecido no banco traseiro do Saab, deitado, as pernas encolhidas, os joelhos de encontro à barriga, os óculos enviesados sobre a testa.

O Saab quebrou perto de Starkville, no condado de Las Animas. Faltavam uns vinte minutos para a fronteira do estado. Fernando xingou em português e é possível que Carlos tenha entendido. Havíamos percorrido trezentos quilômetros de estrada em três horas e meia, computando aí a parada na saída de Pueblo para fazer xixi.

No início da viagem, Carlos dormiu durante mais de uma hora, enquanto eu acompanhava a queda livre do Saab pelo mapa. Deixamos para trás Castle Rock e Larkspur. Diante da Academia da Força Aérea, na entrada de Colorado Springs, percebi que a autoestrada acumulava a denominação de Ronald Reagan Highway. O Pikes Peak se debruçava lá em cima, montanha orgulhosamente mais alta numa terra de montanhas altas. Deixamos para trás a cidade em sua manhã de sábado.

Você nunca teve vontade de voltar para o Brasil? perguntei ao Fernando.

Pensei nisso algumas vezes.

E por que nunca voltou?

* * *

Não tem muita coisa para mim no Brasil.

Como assim, não tem muita coisa para você no Brasil? Você é de lá. Saiu porque foi obrigado a sair.

Vou te dizer a verdade, Vanja, eu não fui obrigado a sair. Saí porque quis. Sei que um dia te falei isso, que tive que sair. Mas ninguém me mandou embora, e outras pessoas na mesma situação ficaram. Estão por aí até hoje. Algumas no governo. Pagaram um preço, claro. Mas eu também paguei.

Modo de dizer. Se você não saísse podia — ter problemas. Com a polícia. Quer dizer, com o Exército. Foi você mesmo quem falou.

Ele suspirou.

Se eu estivesse no Brasil hoje era capaz de também estar trabalhando como segurança e faxineiro. Quem sabe. Mas a minha vida ia ser um pouco mais difícil.

Você podia fazer outra coisa. Quem sabe você também estaria no governo. Já pensou? Você podia ser um deputado, um ministro.

Ele riu.

Não sei se ia querer fazer outra coisa. Ou se ia conseguir. Talvez servir cerveja em bar.

Você não fez só isso na vida. Estudou geografia.

Estudei um ano de geografia.

Mas fez outras coisas.

Fiz. Estive na Academia Militar de Pequim. E fui um guerrilheiro comunista. É a parte mais relevante do meu currículo.

Fiquei em silêncio.

Depois de algum tempo ele acrescentou: Não preciso te dizer que essas coisas têm que ficar entre nós, preciso?

Não precisava. Ultrapassamos uma jamanta que levava um cacho de carros com amassões em diversas partes e com graus distintos de profundidade. A um deles faltava o para-choque dianteiro, o que o deixava com um aspecto de rosto mutilado, desses que aparecem em close nos filmes de terror, um farol esbugalhado como um olho num leito de carne viva. Eu gostava de conversar com o Fernando.

Um carro preto nos ultrapassou. O vidro traseiro ostentava um adesivo da National Rifle Association, a águia pousada em dois rifles cruzados sobre um fundo vermelho.

Existe algo de intermediário nos desertos. Muitos viajantes disseram isso. É como se eles não fossem destinações, mas caminhos apenas. Grandes paisagens inóspitas onde você não se demora, que você apenas percorre entre um e outro ponto mais afável do mapa. E no entanto pessoas viviam ali. Pessoas vivem nos desertos e nos ermos áridos e semiáridos do mundo. Nesses lugares entre parênteses. Onde todas as coisas – sons, distâncias – vão habitar outra semântica. Parece um gesto de desespero. Ou quem sabe um abandono.

Detesto este lugar, Nick me disse uma vez.

Que lugar? A escola?

O Colorado.

Detesta? Por quê?

Você anda e não tem nada. Você anda horas e mais horas de carro e não tem nada. Só uns arbustos no chão. Queria morar num lugar onde houvesse *árvores*.

Tem as montanhas, eu ponderei.

As montanhas, ele disse. Um monte de pinheiros e estações de esqui. Mansões de gente rica imitando chalés suíços. Não, obrigado.

Anotei mentalmente que Nick não tinha interesse por pinheiros, por estações de esqui nem por mansões de gente rica imitando chalés suíços.

Estava tudo debaixo d'água, eu comentei, feliz com meu conhecimento recém-adquirido no Museu de Ciência. Você sabe, milênios atrás. Era tudo mar.

Por mim podia continuar sendo, ele disse.

No carro, com Fernando, pensei no mar do Colorado, e em que animais teriam vivido ali, naquele despovoado que a estrada cortava numa infinita linha reta (e parecia dizer ok, quer ir em frente, o problema é seu – vamos ver do que é capaz). Que conchas de dimensões mesozoicas, que bichos estranhos morando dentro delas.

Você é o que meu? perguntei ao Fernando.

O quê?

Você é o que meu? Porque pela minha certidão de nascimento você é meu pai, mas não é meu pai de verdade, então é o quê?

Ele olhou para mim, depois voltou a olhar para a estrada, a faixa cinzenta e persistente da estrada e os tufos de mato esturricado que a ladeavam, e as nódoas de neve aqui e ali, onde o sol permitia.

Não sei. O que você quiser que eu seja, ele respondeu.

O homem na recepção do motel tinha cabelo grisalho preso num rabo de cavalo e dentes com manchas de nicotina. Disse que havia uma piscina aquecida coberta e que ficava aberta até as nove da noite.

Ao lado do balcão havia uma coleção de panfletos sobre as atrações do condado de Las Animas. Carlos pegou um de cada e puxou meu braço para me mostrar o que falava das cidades-fantasma. Leu seus nomes: Berwind, Delagua, Ludlow, Morley, Primero, Segundo, Tabasco, Tercio.

E aparentemente gostou do som daquelas palavras, naquela ordem exata, pois repetiu mais algumas vezes. Berwind, Delagua, Ludlow, Morley, Primero, Segundo, Tabasco, Tercio.

A piscina do motel era um grande paralelepípedo de água morna enterrado ao lado da recepção, atrás de uma parede de vidro sujo. Havia uma mulher muito jovem com dois meninos pequenos quando chegamos. Os meninos grudaram os olhos em nós. Eles usavam boias de braço cor de laranja e tinham pernas muito finas saindo dos shorts, e peitos magros dos quais se projetavam braços finos e pescoços magros e cabeças ovais e assustadas.

Uma placa dizia NÃO HÁ SALVA-VIDAS DE SERVIÇO.

Carlos pulou dentro d'água, um pequeno torpedo atarracado de cabelo escovinha. Os meninos continuaram olhando sem nenhum pudor.

Fernando ficou sentado na borda da piscina sem tirar a camisa. Não tirou a camisa até que a mulher jovem e os meninos pequenos foram embora, arrastando toalhas de um branco encardido – fantasmas em miniatura exilados das cidades-fantasma, almas em Las Animas, tentando recuperar a privacidade perdida. Em seguida Fernando entrou na piscina e ensinou ao Carlos como dar cambalhotas debaixo d'água, o que Carlos acabou aprendendo depois de inspirar alguma quantidade de líquido clorado e morno pelas narinas e emergir confuso e magoado.

No quarto, tínhamos duas camas. Uma para Fernando, uma para mim e para Carlos.

Fernando pediu pizza, cerveja e refrigerante. Nós três contemplamos sem maior interesse um filme para adolescentes na tevê enquanto comíamos, eu e Carlos deitados de bruços em nossa cama e sujando a colcha de ketchup e mostarda, Fernando na mesa redonda que tinha uma perna mais curta do que as outras e balançava todas as vezes que ele se apoiava nela.

Carlos vestiu o pijama com temas espaciais. Havia astronautas e estrelas sobre o fundo preto, e alienígenas com seis pernas e um tufo de antenas na cabeça e um sorriso bobão. Escovou os dentes com sua escova nova, que tinha comprado especialmente para a viagem.

Mais tarde, no escuro, ouvi sua respiração pesada, recém-adormecida.

Na outra cama, Fernando era um vulto imóvel, como se tivesse deixado de existir. Como se tivesse abandonado o corpo ali e ido fazer outra coisa.

Na estrada lá fora passavam caminhões notívagos e carros com pares de olhos sonolentos atrás do volante. Cada um deles era um ruído largo e um clarão. Ruídos graves e clarões *king-size* para os caminhões. Ruídos mais agudos e clarões mais discretos para os carros.

Peguei no sono e sonhei com uma piscina em cujo fundo havia túneis dando para outras piscinas. A água transportava a voz líquida de Carlos repetindo os nomes das cidades-fantasma do condado de Las Animas.

Pulei para fora do sonho e do sono pouco depois, com alguém batendo a porta do quarto ao lado. Fernando continuava fixo na mesma posição, na mesma inexistência. Percebi que ele estava acordado, porque os corpos adormecidos em geral são objetos mais fáceis e entregues – feito Carlos ao meu lado. Eu me virei na cama e me apoiei no cotovelo.

Fernando?

Hm.

Você está sem sono?

Estou.

Quer um chiclete?

Não. Obrigado.

Nick não gostava de pessoas que mascavam chiclete e jamais poderia ficar sabendo a respeito da caixinha de papelão sabor morango que habitava o fundo da minha bolsa.

Você contou para a minha mãe o que aconteceu com você na época em que foi embora do Brasil?

Fernando estava de roupa, deitado sobre a colcha, a cama arrumada. Seus sapatos, no chão, eram uma parelha de besouros gigantes e adormecidos, com os apêndices dos cadarços caídos para o lado.

Alguma coisa, ele respondeu. Não tudo.

Você pensa muito nisso?

Antes pensava muito. Agora penso menos.

Você não gosta de pensar?

A esta altura, não faz muita diferença. Entende? Eu pensar nisso ou não pensar.

Ficamos os dois ali, acordados e em silêncio durante algum tempo, escutando Carlos respirar. Escutando os barulhos da estrada. Um relógio digital com números escarlate na mesa de cabeceira marcava 11:11.

Você pode me passar uma cerveja? Fernando pediu.

Peguei a cerveja na geladeira anã que roncava sua asma anã perto da minha cama. Então Fernando abriu a lata com um espirro de metal e bebeu um gole.

Você quer que eu te conte as coisas que não contei à sua mãe? Fiquei calada e escutei. Durante um bom tempo, só escutei. Nunca perguntei ao Fernando por que ele resolveu falar, naquela noite. Se por acaso resolveu indenizar minha mãe pelo que não tinha contado a ela contando-o à filha dela. Mas se eu perguntasse ele provavelmente teria respondido: a esta altura, não faz muita diferença.

Acordei às oito e pouco da manhã com Carlos puxando o dedão do meu pé. Tive vontade de bater nele. Mas só resmunguei e puxei o pé e me virei de lado para continuar dormindo.

Ele e Fernando estavam de pé, vestidos e penteados. Fernando usava a *camisa de cumpleaños*. A cafeteira elétrica preparava o café do mesmo modo de sempre, do mesmo modo como estava condenada a preparar para incontáveis hóspedes, dia após dia, gorgolejando e exalando vapor no balcão entre as escovas de dente. O café vinha em sachês, o açúcar e o adoçante em saquinhos.

Eu sabia que devia estar na hora de sair da cama. Tínhamos um trio de bagels para comer no saguão do hotel, em pratos de isopor, passando com a faca de plástico o cream cheese e a geleia que vinham em pequenas embalagens individuais de plástico. Tínhamos um pouco de suco processado para tomar em copinhos de isopor e mais café para tomar em outros copinhos de isopor. No final, tínhamos três pratos de isopor, seis copinhos de isopor, três facas de plástico, três colheres de plástico, alguns saquinhos de açúcar vazios e algumas embalagens de cream cheese e geleia vazias para jogar no lixo. Depois disso, tínhamos um carro para pegar no conserto e uma viagem interrompida para retomar.

Las Animas bordejava o Novo México. No alto do Raton Pass, Carlos quis parar, descer do carro e tirar fotografias na fronteira do estado. Depois perguntou ao Fernando o que o Novo México tinha a ver com o México.

Camino sin nombre

Encontramos June em Santa Fé com um dia de atraso. Fernando avisou a ela que o carro tinha quebrado. No fim da manhã de domingo, havia turistas na praça central comprando as joias de prata e turquesa feitas e vendidas pelos índios. Mulheres com casacos de pele e botas de couro andavam aos pares, seguidas por homens com chapéus de caubói, que pagavam pelas compras de suas mulheres e carregavam as sacolas.

Os índios enfileiravam os brincos e colares e pulseiras sobre mantas coloridas, nas calçadas designadas, encostados à parede do Palácio do Governo. Eles também se enrolavam em mantas coloridas conforme o frio, e alguns comiam a comida que levavam em marmitas ou quentinhas.

Nos arredores, as lojas habitavam construções de adobe. Vendiam peças de arte das tribos nativas e relógios Rolex.

O pai de June, como ela nos contou mais tarde, era descendente da nação zuni. A mãe de

June era uma linguista inglesa e tinha ido para o Novo México pesquisar a língua zuni, a *shiwi'ma*, uma língua indígena isolada segundo os estudiosos. Não encontrou respostas, mas encontrou um homem de quem gostou (e que não era fluente em *shiwi'ma*, porque havia sido criado fora dos *pueblos*, mas tinha seus atrativos específicos e paraidiomáticos).

A mãe de June voltou para a Inglaterra com o pai de June ao lado e June dentro da barriga.

Mas depois do Novo México a Inglaterra parecia excessivamente úmida, excessivamente domada. Sutil. Europeia. June aprendeu piano, o pai de June arranjou um emprego, a mãe de June continuou a fazer pesquisas sobre línguas isoladas.

Um belo dia, como se isso estivesse acertado desde o início, se desfizeram de tudo o que tinham, cruzaram o Atlântico e voltaram para o Novo México. Passaram pelo portal que os devolvia àquela violência climática e visual como quem recupera o nome ou a alma. June começou a dar aulas de piano, engordou um pouco e depois mais um pouco, e anos mais tarde herdou a casa de seus pais em Santa Fé. Ela não falava a língua zuni, mas tinha aprendido latim na escola, em Oxford.

Marcamos encontro num posto de gasolina. Carlos leu em voz alta VAGAS EXCLUSIVAS PARA CLIENTES TEXACO E 7-ELEVEN. Ficou preocupado porque estávamos ocupando uma vaga e não éramos clientes Texaco nem 7-Eleven. Fernando disse que ele podia ficar tranquilo. Mas ele continuou olhando meio desconfiado ao redor. Talvez imaginasse um policial vindo nos avisar da nossa transgressão e pedindo os *papeles* dos três, enquanto batucava com o cassetete no carro – como nos filmes. Carlos suaria frio, depois choraria e depois seria deportado. Como nos filmes.

June parou o carro ao lado do nosso. Vimos aquela mulher morena e enorme sair da caminhonete verde e se abaixar apoiando os antebraços na janela aberta de Fernando. Mas ela olhou para mim antes de olhar para ele, e disse, com um sotaque britânico: a filha da Suzana. Só então olhou para o Fernando e disse: o ex-marido da Suzana. E depois, para o banco de trás: e o amiguinho deles. É melhor irmos para algum lugar fechado conversar um pouco. Está frio hoje. Se bem que vocês do Colorado não têm medo do frio. E ela sorriu, e seu sorriso tinha covinhas gêmeas coadjuvantes, uma em cada bochecha. Vocês não estão com fome? Não querem almoçar? Tem esse lugar que eu conheço, vocês são meus convidados.

Ela não pareceu se lembrar que nenhum de nós três era, em essência, do Colorado. O nosso endereço ficava lá, nada além disso. June usava uma camisa de flanela com estampa de flores azuis miúdas e uma saia longa, grossa. Disse que podíamos segui-la. Voltou para dentro da caminhonete verde, e enquanto a observávamos caminhar até a porta, de costas, sua bunda ondulava por baixo da saia, para cá, para lá, com grande segurança e imponência.

Carlos perguntou como é que ela sabia que nós éramos nós, bastante impressionado. E amou June de imediato, por tudo: porque ela sorria, porque tinha covinhas, porque sabia que nós éramos nós. Mas sobretudo por ter dito que ele era do Colorado. Era isso o que Carlos sentia no fundo do estômago, dos ossos, por trás das unhas, em tudo aquilo que nele fazia as vezes de raiz. No Colorado, algumas pessoas usavam adesivos nos carros com a palavra NATIVO. Uma vez Carlos havia jurado que ao crescer e conseguir seus *papeles* e ter um carro ia comprar um adesivo daqueles. Porque era assim que ele se sentia: NATIVO com montanhas ao fundo. E June só precisou vê-lo para perceber isso, o que era o bastante para que ele a amasse, recíproco, no mesmo instante.

Ainda não tinha nevado em Santa Fé e tudo era de um marrom uniforme e sedento. As árvores descarnadas. June nos levou para um restaurante longe do centro turístico e disse está tudo muito cheio por causa do feriado. Vocês vão querer o quê? Um refrigerante? Eu vou pedir alguma coisa um pouco mais forte, e ela e suas covinhas riram, e quando o garçom muito jovem e magro e com vários piercings na orelha veio anotar o nosso pedido ela nomeou, semibritânica, o vinho que ia tomar. Depois nos disse, à guisa de uma explicação que não pedíamos, que precisava de uma taça de vinho para comemorar, será que o Fernando não queria também? Talvez pudessem pedir uma garrafa? E depois que o garçom tomou nota ela deu um grande suspiro. Que bom ver vocês. Que bom ver vocês. E segurou com as duas mãos minhas duas mãos por cima da mesa. Suas mãos grandes e gordas e macias. Minhas mãos pequenas e magras e ásperas.

Comemos nachos que vinham numa montanha compacta e notei que Fernando selecionava os jalapeños com uma avidez incomum. Carlos pediu um milk-shake que não conseguiu tomar até o fim. O vinho amaciou June, deixou-a menos ansiosa e falante, como se tivesse reduzido sua rotação num botão de regulagem. Mas nenhum de seus três companheiros de mesa era particularmente falante, de modo que era bom contar com ela para vedar os silêncios prováveis.

Depois da sua primeira taça de vinho, falamos da minha mãe. Depois da segunda, falamos do meu pai. Carlos arregalou os olhos, ele não sabia que Fernando era meu pai na certidão de nascimento (na vizinhança, eu tinha sido apresentada como uma sobrinha). Também não sabia que eu tinha um pai extraviado em algum ponto do planeta, e que aquela viagem era, em essência, uma busca.

June explicou aquela situação pouco usual com a didática de uma professora de quarta série ao menino acostumado a situações pouco usuais.

Ele fez que sim com a cabeça quando entendeu, quando as revelações pararam de se acotovelar dentro da sua cabeça e se harmonizaram em seus lugares, encaixando com cliques suaves. Segurou meu braço e me disse que esperava que encontrássemos meu pai. *I hope we find tu papá. How say papá en portugués?*

June e Fernando acabaram com a garrafa de vinho e ficou claro para todos nós que poderiam pedir uma segunda e depois talvez uma terceira. Não pediram. Olhei para o garçom magro com piercings na orelha antes de ir embora e pensei em Nick, cujo nome ainda estava rabiscado na minha calça jeans, junto ao desenho do diamante de Shah Jahan.

June passeou conosco pelas ruas do centro de Santa Fé listando fatos e datas com a proficiência de uma guia turística recém-formada, cheia de zelo e de empenho no trabalho. Vestindo a camisa da empresa. Fomos para a sua casa quando começou a escurecer e a esfriar demais. O ar era traiçoeiro. Doía dentro do nariz. Queimava o rosto. Anestesiava os lábios e fazia com que todos falássemos como se estivéssemos meio bêbados ou recém-chegados do dentista.

Ela morava numa rua chamada Camino Sin Nombre. Sua casa tinha muitas cores por dentro e era habitada também por um casal de mastiffs

– Georgia e Alfred (o O'Keeffe e o Stieglitz subentendidos para muitas pessoas, mas não para nós, a quem June teve que explicar quem tinha sido aquela mulher que gostava de pintar flores e esqueletos de bichos, e quem tinha sido aquele homem que se apaixonou pela mulher que gostava de pintar flores e esqueletos de bichos e a fotografou com os cabelos soltos e uma camisa branca. Carlos espiou umas reproduções num livro e disse que a tal Georgia pintava bem mas que ele achava que aquelas montanhas estavam meio esquisitas naquele quadro, não pareciam montanhas de verdade, pareciam uns montinhos feitos com massa de modelar, e por que é que ela pintava aquelas flores tão grandes, ele pessoalmente não achava flores coisas tão interessantes assim).

June preparou um jantar que encheu a casa de cheiros quentes. Colocou música e estendeu no ar ganchos invisíveis que nos aproximavam, laços de uma trama de crochê na ponta da agulha. Éramos um mundo de compatibilidades, estávamos irmanados, nos equivalíamos – e onde não nos equivalíamos, nos compensávamos.

Um talento de June: nós quatro éramos, de repente, essa grande família improvável, multinacional, cheia de línguas diferentes e sotaques diferentes para as mesmas línguas. Nossas idades eram em tese meio incompatíveis, nossas preocupações e ocupações idem, nossos passados talvez nos identificassem como animais de espécies distintas, resultados de processos evolutivos distintos, e no entanto ali estávamos. Com um monte de risos fáceis. Quando ninguém estava olhando, tomei um gole do vinho na taça do Fernando e achei que tinha gosto de uva com madeira e álcool. Era ruim. E me perguntei se era preciso engolir litros de uva com madeira e álcool para adestrar o paladar ou se ele ia mudando com a idade. Se um belo dia você acordava gostando de sexo, política e bebidas alcoólicas.

O aquecimento da casa de June era no chão – logo eu e Carlos descobrimos isso, e o prazer de andar descalços por aquela grande placa terrosa e morna. E logo percebemos que, como a tal Georgia pintora, ela também gostava de esqueletos de bichos. Havia duas caveiras na sala e uma, pequena, no banheiro. As duas da sala tinham chifres enrugados. A do banheiro não. Enquanto eu e Carlos dançávamos um arremedo de balé no chão morno, os dois velhos mastiffs contemplavam, talvez com a memória vaga de em algum momento ter feito aquilo também, acompanhando outras crianças, numa época em que o mundo tinha menos dores nas juntas.

June foi fumar lá fora, Fernando a acompanhou, ambos com as bebidas na mão. Enquanto eles saíam, eu a ouvi dizer: anteontem vi dois coiotes ali.

Mais tarde, quando acordei para ir ao banheiro, June e Fernando ainda conversavam na sala, e riam muito, e havia um cheiro diferente no ar – um cheiro adocicado, que não era de cigarro nem era de incenso. Antes, eu às vezes também sentia aquele cheiro na Barra do Jucu, durante as férias, na casa dos amigos da minha mãe. Sempre depois que todas as crianças já tinham ido dormir.

Parei para escutar o riso do Fernando, aquele riso extemporâneo acolchoado pela maconha, aveludado, honesto. Lembrei-me do riso da minha mãe, que era agudo e sempre fácil. Fechei a porta do banheiro, me sentei no vaso, apoiei o cotovelo na janela baixa e chorei um pouco, e lá fora talvez andassem dois coiotes, pisando leves e ágeis num mundo só deles.

As florestas tropicais, como a grande Amazônia recessiva, são organismos intensos. A morte e a vida grassam ali o tempo todo, simultâneas, siamesas. Uma leva à boca da outra o alimento. Fazem isso num ritmo corriqueiro e cotidiano, sem estardalhaço. Um hábito que não tem quase nada a ver com o avatar da morte que Fernando aprendeu a reconhecer e temer, na mata, quando usava o nome de Chico.

Na mata eu serei a árvore, serei as folhas, serei o silêncio.

Em meados de 1972, as Forças Armadas resolveram caprichar nas Ações Cívico-Sociais. Planejavam-se campanhas de vacinação contra sífilis e febre amarela, distribuía-se comida de helicóptero. O Ministério da Educação resolvia mandar dinheiro para as escolas locais. Os moradores conseguiam, graças às Acisos, fazer coisas extravagantes, como tirar carteira de identidade. Também nessa época a repressão militar na região do Araguaia passou toda para as mãos do Comando Militar do Planalto.

Com a prisão de alguns dos guerrilheiros, o Exército ia aprendendo coisas. Sabia, por exemplo, que à noite os comunistas ouviam a rádio Tirana, da Albânia, e a rádio Pequim, da China. As duas transmitiam programas em português, davam notícias recentes da guerrilha do Araguaia e deixavam os militares perplexos: como diabos as informações chegavam até lá? Em casa, a imprensa censurada dizia só o que convinha. Mas os militantes do PC do B nas cidades pichavam muros exaltando a guerrilha e informando que ela estava viva.

Em setembro, celebraram-se os 150 anos da Independência do Brasil. Com bandeirinhas verdes e amarelas, festa nas ruas e orquestração militar.

Em setembro, um guerrilheiro do Destacamento C escreveu uma carta aos pais. *Que os generais fascistas espumem de ódio, a revolução é uma realidade e o povo vencerá. Meus queridos velhos, estou ansioso para chegar o dia de entrar em nossa casa, abraçá-los saudoso e lhes dizer: Eis aqui a revolução triunfante.*

Em setembro, o *Estado de S. Paulo*, que recebia todos os dias uma lista dos assuntos proibidos, furou de um modo cem por cento inesperado a censura. A guerrilha não constava da lista, naquele dia, e portanto o jornal publicou uma matéria intitulada "Em Xambioá, a luta é contra guerrilheiros e atraso": *Enquanto as forças conjugadas do Exército, Marinha e Aeronáutica somam, nas selvas da margem esquerda do rio Araguaia, cerca de cinco mil homens, na caça de guerrilheiros, o Exército iniciou ontem, simultaneamente, em Xambioá e Araguatins, em Goiás, à margem direita do rio e no extremo norte do estado, a Ação Cívico-Social – Aciso – visando levar assistência a toda a população da área.* Dois dias depois, a notícia saiu no *New York Times*.

Os cinco mil homens das Forças Armadas caçavam algumas dezenas de guerrilheiros na mata. Eles agora também já sabiam que os comunistas treinavam estratégias de sobrevivência na selva, aprendendo a se orientar pelo sol, pelas estrelas, pelos acidentes geográficos. Aprendendo a rastejar no mato, a reconhecer frutos comestíveis, a caçar. Sabiam que treinavam tiro, emboscadas, assaltos, sabiam que estudavam o inimigo. O inimigo estudava o inimigo, nó semântico de que ninguém se deu conta.

Chico não estava a par desses números, nem de que os guerrilheiros presos passavam todos pelo Pelotão de Investigações Criminais em Brasília. Era um lugar onde as torturas físicas e psicológicas tinham se aperfeiçoado bastante. Os torturadores tinham diplomas de pós-graduação para arrancar confissões (que afinal não se conseguem com bombons). Homens e mulheres nus e encapuzados iam para o pau de arara, sofriam afogamentos, levavam choques elétricos inclusive nos órgãos genitais.

Pela Convenção de Genebra, guerrilheiro já era, disse uma vez um militar a um prisioneiro em Xambioá.

Já totalmente despida de suas pretensões a Xangri-Lá, Xambioá, aquele lugarejo onde a população urbana (por assim dizer) não passava de três mil habitantes, muitas vezes era onde a prática tinha início.

Presa, uma guerrilheira do destacamento C, por exemplo, antes mesmo de ser enviada para Brasília conheceu o inferno ali, às margens do Araguaia, o Rio das Araras. Onde a mata deveria ter sido a sua segunda mãe, onde a população ia se aliar aos guerrilheiros – e não traí-los, como aconteceu no caso dela. Nua, ela foi socada e chutada no meio de um círculo de uns trinta homens. Quando estava prestes a desmaiar, foi levada ao rio, onde enfiaram sua cabeça até quase afogá-la. Molhada, foi torturada com choques elétricos. Puta comunista. Levaram-na ao rio de novo. E assim sucessivamente. Nos intervalos, a jogavam dentro de um buraco, onde as dores e os sangramentos a impediam de dormir. Pela Convenção de Genebra, guerrilheiro já era.

Em Xambioá, o Exército controlava tudo e o prefeito agradecia (eu nunca tive tanta folga quanto agora, ele disse). Que maravilha a ida dos terroristas para lá, porque só assim um pedaço de progresso ia junto. Estradas, remédios. Problemas entre fazendeiros e posseiros sendo resolvidos em tempo recorde. Eu preciso de uma rodovia de trinta quilômetros pronta aqui dentro de dois meses, disse o general Antonio Bandeira, comandante da 3ª Brigada de Infantaria, ao engenheiro-chefe do Departamento de Estradas de Rodagem de Goiás. O engenheiro respondeu que não seria possível, faltava equipamento, dois meses eram muito pouco tempo. O senhor não me entendeu direito, insistiu o general. A obra tem que ficar pronta em dois meses porque vou passar por ela com minhas tropas. Os problemas a resolver são seus.

Em setembro, a estação das chuvas estava prestes a começar. De novo. Cíclica e indiferente. Na margem direita do Araguaia, no então estado de Goiás, a Ação Cívico-Social vacinou mais de cinco mil moradores contra febre amarela, quase três mil contra varíola. Extraiu quatro mil dentes. Deu palestras sobre civismo, higiene, alimentação, promoveu festas, solenidades, gincanas, competições esportivas e até criou um clube de jovens depois de chegar à conclusão de que eles não tinham muito o que fazer, por ali. Doou bandeiras, pintou escolas, construiu fossas. Do outro lado do rio, no Pará, somaram duzentos os atendimentos odontológicos, mil e seiscentos os atendimentos médicos.

Foram oito dias de assistência. Do mesmo modo como tudo começou, acabou. Foram oito também os guerrilheiros mortos no mês de setembro, durante a Operação Papagaio. Entre eles, João Carlos Haas Sobrinho, codinome Juca, membro da Comissão Militar. Os oito mortos de setembro, entre os guerrilheiros, se somavam a outros cinco anteriores pelas contas do Exército, e mais dez estavam presos.

Mesmo contra a vontade do general Bandeira, a operação terminou no início de outubro, dentro do prazo estabelecido. Se não tinha sido mais bem-sucedida, para ele, é porque havia soldados de menos e floresta de mais. Eram nove mil quilômetros quadrados de mata na área de combate – que em três pontos chegou a ser bombardeada com napalm. As tropas iam embora do Araguaia, deixando para trás pelotões em três lugares distintos com ordens de *obter o máximo de informes para poder formar o quadro da situação.*

Para os comunistas, a retirada era fuga. Era manobra para evitar a desmoralização. Um comunicado mimeografado explicitava a intenção das Forças Guerrilheiras de prosseguir na luta, e sua confiança na vitória. *Morte aos que perseguem e atacam os moradores e os combatentes do Araguaia!*

O comandante da guerrilha, Maurício Grabois, mandaria em dezembro uma carta para a cúpula do partido em São Paulo. *Não ficamos isolados (ao contrário do Che na Bolívia) nem o inimigo conseguiu dar aos camponeses e demais habitantes da região uma imagem falsa a nosso respeito,* ele diria, entre outras avaliações positivas.

E terminaria: *Grandes e apertados abraços. A todos um feliz ano-novo. 1973 será um ano de vitórias.*

Algum motivo especial para a sua mãe ter chamado você de Evangelina?

June lavava os pratos do café da manhã e eu ajudava.

Você sabe, ela continuou. Evangelina, evangelho.

Dei de ombros.

Não que ela tenha me contado. Acho que foi só porque ela gostava. E porque não é muito comum. Ela não queria que eu tivesse um nome muito comum. Do tipo que um monte de gente na escola tem igual, sabe?

Ao dizer isso, lembrei-me do poema de uma antiga colega de terceira série, no Brasil. A Vanja e o suco de laranja. A Vanja derrama a canja no suco de laranja. A Vanja gosta de canja com suco de laranja.

Você tem filhos?

Tenho um, June respondeu. Mora no Kansas.

Faz o que lá?

Ele é músico. Toca fagote na Orquestra Sinfônica de Topeka. Olhei de banda para June. Talvez ela me permitisse mais perguntas e perguntas mais pessoais ainda. Mas foi ela mesma quem desenvolveu o assunto.

Ele ainda era bem pequeno quando eu e o pai dele nos separamos. Estava no jardim de infância e era um menininho distraído que vivia levando tombos. Levava tombos no balanço da escola, levava tombos de bicicleta, levava tombos na escada. Uma vez ele quebrou os dois dentes da frente. Coloque isto naquele armário ali, por favor. Na prateleira de baixo.

E você não se casou de novo? afirmei, perguntando.

Ela pigarreou. Um instante de silêncio.

Vivi com alguém durante algum tempo. Durante um bom tempo. Quase quinze anos. Mas depois terminou. Como acontece com todas as coisas.

Ele foi embora?

Ela.

Fechei a porta do armário depois de ter guardado o vidro com o pó de café. Olhei para June e disse ah, entendo.

As meninas da escola achavam nojento. *Gross*. Uma mulher com outra mulher. Sobre um homem com outro homem não se falava muito, era coisa de outra alçada, eles que se entendessem entre si. Mas e se a melhor amiga de repente tentasse beijá-las e passar a mão nos seus peitos? Ou se elas de repente se sentissem inclinadas a beijar a melhor amiga? *Gross gross gross gross gross* elas repetiam várias vezes, como se fosse um mantra capaz de protegê-las de tamanho mal. Um dia falei sobre isso com o Nick. Ele me perguntou se eu tinha vontade de beijar a minha melhor amiga. Não, eu falei, dando de ombros, e ele disse que pena, isso ia ser *really sexy*.

E você? Gosta de alguém?

Tem esse menino na escola, respondi.

June apontou para o nome escrito na minha calça jeans. Nick?

Ele é ecoanarquista.

É mesmo?

Ã-hã.

E o que se passa na cabeça de um ecoanarquista?

Não sei muito bem. Ele me emprestou um livro, mas ainda nem abri.

No sofá, Fernando dava a impressão de ler o jornal. Talvez lesse de fato. Carlos voltou do banho com cheiro de loção pós-barba. Entre os seus artigos de toalete, congregados numa sacola plástica transparente, estava um frasco que dizia *L'Oreal Men's Expert Comfort Max Anti-Irritation After Shave Balm with SPF 15 Sunscreen.*

Vamos dar uma volta com os cachorros, June chamou.

Levei Alfred pela coleira, Carlos levou Georgia e Fernando continuou no sofá, lendo o jornal. Os dois cães eram velhos e viviam sonolentos. Seguimos pelo Camino Sin Nombre até a Martinez Lane, a Acequia Madre e o Camino Don Miguel, fazendo um laço de volta à casa de June. Alfred está para morrer, ela disse, e eu olhei para Alfred e achei que ele sabia disso. Mas o tempo provaria que tanto o prognóstico de June quanto a aparente consciência de Alfred estavam errados. Georgia morreu primeiro, meses depois da nossa visita. Alfred ainda viveu por mais dois anos.

Redondo Road

A estrada se emendava em outra estrada e depois em mais outra. Era estranho pensar nisso. Estranho e reconfortante. Claro: sempre haveria a descontinuidade de um beco sem saída, aqui e ali. De uma estrada ou de uma rua que não ia dar em lugar nenhum, que morria num ancoradouro ou num pasto ou numa parede de rocha. Isso também estava previsto pelos mapas. Um dia, no futuro, eu veria um túnel vazado numa montanha do Colorado, junto à Clear Creek Canyon Road: um túnel abandonado na reforma da estrada, preto, boca escavada na pedra e tapada com uma cerca de madeira na parte de baixo. Um ex-caminho.

A mãe do meu pai morava na Redondo Road, em Jemez Springs. Nosso destino, a cento e poucos quilômetros de Santa Fé. Por isso a nossa estrada, naquela ocasião, precisava se emendar em outras.

Carlos foi com June na caminhonete verde, dando ampla vazão ao seu amor à primeira vista.

Ele queria conversar com ela, queria ouvi-la falando naquele seu inglês gozado, elegante, aquele seu inglês de rainha, que fazia com que ele pensasse em joias e mantos de veludo vermelho. Passamos por imensos cassinos mantidos pelos índios e subimos a serra onde pinheiros cresciam, gratos, cem por cento empenhados em sua realidade de montanhas. Boa parte do Novo México era desértica. Não ali. Chegamos a Los Alamos, June encostou o carro. Desceu e veio até a nossa janela.

Los Alamos, ela disse, vocês sabem. E olhou para o Fernando e olhou para mim. Você explicou a ela? Vamos passar por um posto de segurança, pode ser que mandem parar, pode ser que não.

Ninguém nos mandou parar no posto de segurança – na verdade não havia ninguém em nenhuma das cabines – e Fernando me deu as conexões históricas que eu não tinha, Los Alamos, Projeto Manhattan, bomba atômica, e quando cruzamos uma rua chamada Oppenheimer Drive ele me explicou quem tinha sido Oppenheimer e disse que ele havia citado as escrituras hindus depois da primeira explosão no Novo México: *agora eu me torno a Morte, destruidora dos mundos.*

Em Los Alamos tinha nevado. Em meio aos pinheiros havia trilhas pálidas de neve semiderretida. Eu usava meus óculos escuros de aros cor-de-rosa e hastes azuis, e pensava no nome Oppenheimer. Heimeroppen. Meroppenhei. Enheioppmer.

Então, essa mulher, essa Florence, a mãe do meu pai, ela não está esperando a gente?

Não, respondeu Fernando. Mas eu imagino que as pessoas apareçam na casa dela de tempos em tempos. É um ateliê. Não sei como são essas coisas, nunca conheci artistas.

Eu imagino o ateliê dela como um salão grande com uma mesa bem grande e suja e pedaços de jornal para todo canto. Talvez ela tenha pregado o poema preferido na parede. Para se inspirar.

Fernando não comentou. Não disse como imaginava que o ateliê de Florence seria. Não disse se imaginava alguma coisa ou deixava de imaginar. Fui combinando mentalmente modelos de avó, como naqueles livros para crianças em que você escolhe a cabeça numa página e o corpo na outra e os pés na outra, e pode criar um caubói com corpo de bailarina e pés de marciano.

A estrada onde Florence morava era de terra. June e Carlos iam na frente, na caminhonete verde, borrados pela nuvem de poeira que deixavam para trás e que nós respirávamos, Fernando e eu.

De um lado da estrada subia um barranco, pedras, mato. Do outro lado, havia um muro baixo de concreto, entre a estrada e a queda. De vez em quando, uma casa. Depois que passamos pela esquina de La Cueva Place (um desses caminhos sem saída, de acordo com o mapa), June encostou a caminhonete diante de um muro de pedras – que não escondia, protegia nem dividia, mas apenas escorava o morro, com a tensa tranquilidade das pedras.

Uma entrada, um portão baixo. Meu coração aos trancos e minhas mãos muito frias. Tocamos a campainha e uma mulher com um casaco de lã comprido veio caminhando pelo jardim. Ela não usava tranças nem tinha cabelo comprido. Seu cabelo era bem curto e de um louro grisalho. Debaixo dos seus olhos havia duas pequenas papadas, e uma um pouco maior no pescoço, feito um conjunto de adereços. Não havia brincos nas suas orelhas, anéis nos seus dedos nem relógio no seu punho. O casaco de lã tinha um fio puxado junto à gola. Havia esculturas de cerâmica fincadas entre as plantas secas do jardim. A primeira em que pus os olhos era uma galinha com um sexo humano. *My Woman Chicken*, Florence diria mais tarde.

Olaaaaá, ela falou, num sorriso. E vocês quem são?

Ah, respondeu June, acenando de um modo vago que poderia abarcar a casa de Florence, nós, o estado do Novo México inteiro, metade do planeta. Viemos conhecer o ateliê, ouvimos falar muito bem do seu trabalho e resolvemos vir, eu moro em Santa Fé e estes são meus amigos do Colorado.

Florence abriu o portão, estendeu a mão e disse Florence.

Olhei para ela e pensei nos filhos que ela poderia ter tido. Pensei em Florence jovem, sem papadas combinando. Pensei em Florence com a barriga muito inchada, a pele esticada e o umbigo saltado como uma azeitona, um filho cumprindo lá dentro suas fases pré-natais.

Atravessamos o jardim de pedras e plantas secas e coisas de barro. Era como se houvesse uma espécie de vida desconfiada, ali. Naquele jardim. Seiva escondida por trás de garranchos de caules, espiando.

Entramos em sua casa, e Florence nos apresentou ao marido. Norbert. (Pensei que era o pai do meu pai. Mais tarde fiquei sabendo que era o segundo marido de Florence. Tinham se conhecido oito anos antes, numa viagem dela a Vermont. Oito anos antes, Florence era viúva e tinha uma irmã que morava em Vermont. Norbert era um vizinho da irmã de Florence, viúvo ele também. E Florence nunca poderia morar na Nova Inglaterra. Nada de invernos úmidos para ela. Nada de dias nublados.)

Norbert colecionava aspiradores de pó. Florence nos apresentou a ele falando bem alto porque ele era meio surdo. Norbert parecia cinquenta por cento presente. Sua outra metade estava noutro lugar, um lugar que não nos dizia respeito. Ele transitava para cá e para lá, de uma metade sua à outra, seguindo uma conveniência simples e pessoal. Tinha sete modelos diferentes de aspiradores de pó, que guardava num armário especial, na garagem. Quando entramos em sua casa, ele terminava de aspirar o sofá. Mais do que numa casa limpa ele acreditava, talvez, na potência de limpeza presente em cada aparelho. Acreditava no que eles eram capazes de fazer, seus aspiradores de pó. Na alma boa deles, por assim dizer.

Quanto a Florence, ela completava os cinquenta por cento de presença de Norbert com outros cinquenta por cento. Ela também tinha uma metade longe dali, e essa metade ausente dançava um balé em algum lugar do espaço sobre nossas cabeças, e ela acompanhava a dança desse outro eu destacado e viajante com olhos que não paravam nunca. Mas não eram olhos nervosos, pingueponguegueando uma atenção sem talento para a concentração: eram só olhos que ondulavam, tranquilos, acompanhando algum acontecimento sem dúvida muito bonito, que no entanto ninguém mais via. Aquilo poderia deixar algumas pessoas irritadas.

Pensei que ela talvez estudasse russo, só por estudar, e conversasse com as plantas. Pensei que ela talvez esquecesse algumas refeições, e nesses momentos Norbert perambularia pela casa, sentindo-se infeliz e sem saber ao certo por que estava com tanta fome.

Havia em sua casa uma televisão que não funcionava e um telefone que ela não atendia. De tempos em tempos ela escutava os recados na secretária eletrônica, mas não os associava necessariamente à obrigação de ligar de volta para ninguém. Havia uma vitrola onde ela punha óperas para tocar.

Quando June telefonou, algumas semanas antes, tinha sido assim. Um recado. Um número para que Florence por favor ligasse de volta. Florence escutou o recado, registrou na memória um grupo de números sem lógica interna, e segundos depois eles sem dúvida já estavam desfeitos como uma gota d'água que se espatifa no chão, devolvidos ao seu estado molecular, sem qualquer outro compromisso ou consequência.

Eu telefonei faz algumas semanas, June disse, enquanto Florence nos oferecia chá (gosto de receber todo mundo que vem visitar o meu ateliê com um chá, é tão gentil quando as pessoas vêm até aqui – um sorriso).

Florence segurou sua mão. A mão macia e roliça de June na mão longa e nodosa de Florence, com suas manchas senis. Você me desculpe, minha querida. Eu devo ter ouvido o recado, sempre ouço os recados, pelo menos uma vez por semana – um sorriso – mas às vezes eu me esqueço de anotar alguns, daí acabo tirando da cabeça. Ela batucou na têmpora com o dedo indicador. Sou um pouco distraída, disse.

E quando entramos e conhecemos Norbert, que depois se retirou junto com o aspirador de pó, ela sugeriu que nos sentássemos e foi buscar o chá. Trouxe um bule azul e canecas avulsas, diferentes umas das outras. Todas feitas por ela, como anunciou. Aqui ela havia usado vidro derretido. Esta aqui já era bem antiga, uma das primeiras canecas que fez, quando ainda morava e estudava no México. Então olhou para mim e num sobressalto me perguntei, será que ela conheceu minha mãe? Será que a relação que a minha mãe teve com o filho dessa senhora incluiu encontros com a família? Se incluiu, quanto tempo vai levar para ela reconhecer minha mãe em mim?

Açúcar, alguém? Mel?

Então ela falou, com seus olhos passeando pelo ar, de quando era jovem e morou no México e conheceu seu primeiro marido e ambos foram morar depois na Costa do Marfim, e ele se chamava Jesus. O primeiro marido. Um homem bom. Seus dois filhos nasceram em Abidjan. E depois de morar no México e na Costa do Marfim ela nunca mais tinha conseguido viver num lugar frio.

Em Vermont com Norbert, por exemplo, ela disse. É tudo muito bonito por lá, mas eu preciso de sol. Norbert queria que eu fosse para Vermont quando nos conhecemos. Eu disse que não. Fui taxativa. Ele tinha que escolher. Ou Vermont ou eu.

Carlos tinha se levantado e ido brincar com o gato. Perguntou o nome e Florence disse Salmon, e Carlos achou engraçado um gato com nome de peixe.

E os seus filhos, hoje, por onde é que eles andam?

Foi Fernando quem fez a pergunta, e só eu sabia que sua voz estava trêmula por dentro, por baixo da capa de casualidade e cortesia. Só eu sabia que sua voz era um alçapão. Três pares de olhos se cravaram em Florence, disfarçando a ansiedade.

Voltaram para a África. Meu filho está em Abidjan faz seis anos. Minha filha mora em Luanda há mais de dez, o marido é de lá. Alguém quer mais chá? Peguem um biscoito. É de gengibre. Fiz ontem.

Que estupidez, pensei. Que estupidez deixar Copacabana e ir morar num subúrbio de Denver e esperar meses e andar centenas de quilômetros numa porcaria de um carro velho para encontrar uma mulher escondida numa casa nas montanhas do Novo México e então descobrir que meu pai vivia na África. Que ele estava a um Atlântico dali. Que ele estava num continente sobre o qual, fora da sala de aula, eu pouco havia pensado em treze anos de vida, num continente que não tinha nada a ver comigo nem com minha mãe nem com a Barra do Jucu, nem com Janis Joplin.

Senti uma raiva colossal de mim mesma pela ideia, pela carta, senti raiva da funcionária da agência dos correios na Ronald de Carvalho por ter enviado corretamente a carta e da carta por não ter se extraviado, senti raiva do Fernando pelo telefonema bonzinho, senti raiva do Carlos por existir e ter aquela família imbecil dele e não falar inglês direito depois de um ano naquele país pelo qual ele e sua família imbecil babavam de admiração, senti raiva de Florence pela trivialidade das suas palavras e do seu mundo da lua, e por ter um marido que colecionava aspiradores de pó. Senti raiva do chá. Senti raiva dos índios e suas joias em Santa Fé e das mulheres que compravam as joias dos índios em Santa Fé e mais ainda de seus maridos ricos e barrigudos. Senti uma raiva abissal, genuína, da bibliotecária na Biblioteca Pública de Denver, que me sugeria toda aquela poesia como se eu tivesse alguma aspiração a intelectual. Como se alguém no mundo precisasse daquilo. Daquele monte de versos difíceis escritos por homens e mulheres que não tinham mais o que fazer. Senti raiva de WH, TS e WB, e muita raiva de Marianne e seus peixes idiotas. Senti raiva da minha mãe por ter morrido e de mim mesma por ter ficado para trás, mantendo-me de pé na minha vida compulsória, refém da piedade dos professores e dos olhos lacrimosos das colegas de escola. Senti uma raiva compacta e veemente por jogar no time de *ultimate* e ser amiga de Aditi Ramagiri e ter o nome de Nick escrito em minha calça. Senti raiva do Shah Jahan e de seu maldito diamante desaparecido.

Senti vontade de gritar. De pegar a caneca de chá e fazer com que ela se espatifasse contra a parede branca. Um novo Big Bang que não engendraria universo nenhum – só engendraria um punhado de cacos de cerâmica, que alguém varreria para dentro de uma pá de lixo. Um Big Bang sem pretensões universais, que apenas servisse de escoamento ao mau humor de um deus.

Mas não gritei nem joguei a caneca de chá. Continuei calada, enquanto Florence monologava devagar como quem se lembra de um sonho, falava do seu trabalho como ceramista, das esculturas, dos utilitários, e sugeria que fôssemos ver as esculturas no jardim enquanto ainda havia luz, e depois ela nos mostraria o ateliê. Tinha muitas coisas à venda e aceitava dinheiro ou cheque, mas infelizmente não trabalhava com cartões de crédito.

Fernando segurou a minha mão enquanto saíamos para o jardim e flocos esparsos de neve rodopiavam no céu esbranquiçado, sem definir seu destino. O tempo descumpria a meteorologia. Mas os flocos de neve sumiriam no chão. Eles não chegavam a ser presenças.

Fernando segurou a minha mão com um aperto que não era nem fraco nem forte, e enquanto andávamos pelo jardim e víamos a Galinha Mulher e as outras esculturas pensávamos, todos nós, cada um no dialeto do seu próprio pensamento, como faríamos para contar a Florence qual o verdadeiro motivo da nossa visita. E se ela ficaria nervosa ou feliz ou desconfiada, ou nada disso.

Provavelmente não ficaria nada disso.

* * *

Já era de noite quando fomos embora da casa na Redondo Road. June entrou em sua caminhonete verde e colocou no banco ao lado a meia dúzia de xícaras de cerâmica que havia comprado, embrulhadas em várias folhas de jornal e acomodadas dentro de uma sacola de plástico.

June voltaria pelo mesmo caminho até Santa Fé, onde Alfred e Georgia a esperavam, talvez já um pouco irritados com sua ausência prolongada. Ela passaria por Los Alamos e cruzaria a Oppenheimer Drive, passaria pelos cassinos superiluminados dos índios e seus letreiros em neon.

Fernando, Carlos e eu continuaríamos rumo ao sul ao deixar a Redondo Road, pela modesta rodovia 4. Passaríamos por Jemez Pueblo e chegaríamos a San Ysidro, onde a estrada desembocava em outra, e passaríamos por Zia Pueblo e seguiríamos até a junção com a I-25, a onipresente I-25. E veríamos outros cassinos superiluminados dos índios e seus letreiros em neon. E em algum momento estaríamos em Albuquerque. Eu levava entre as mãos um bicho bidimensional de cerâmica. Um lagarto, talvez. Um bicho feito por Florence.

Estes eu não vendo, faço para me distrair, ela havia dito. Escolha um.

O ateliê de Florence era um salão grande com uma mesa bem grande e suja e pedaços de jornal para todo canto. Mas ela não tinha pregado o seu poema preferido na parede. Quem sabe ela não tivesse um poema preferido. Quem sabe não lesse poemas.

Escolhi aquele talvez-lagarto. Que agora chegava comigo a Albuquerque, a mesma Albuquerque onde eu tinha nascido e revisitava com uma reverência estranha, a reverência destinada a reencontros com pessoas e lugares de que não nos lembramos mais.

Sucuri

Às sextas-feiras, minha mãe ia fazer as unhas e voltava para casa reclamando do cheiro do esmalte. Aos sábados, minha mãe ia à feira e voltava para casa reclamando do cheiro do peixe. Às terças-feiras, minha mãe ia ao supermercado e voltava para casa reclamando do preço das coisas.

Às vezes eu ia com ela à manicure e a manicure pintava minhas unhas de rosa. Eu não reclamava do cheiro do esmalte.

Depois que minha mãe morreu, fiquei me perguntando se todas essas coisas guardariam a vaga dela por algum tempo. O lugar que ela ocuparia na fila do supermercado. O pé de alface ou o quilo de batatas que ela compraria na feira. As pinceladas de esmalte potenciais dentro do frasco. Fiquei me perguntando se o espaço que uma pessoa ocupa no mundo sobrevive à própria pessoa. Se o palco fica ali armado ainda por certo tempo, o cenário pronto, a deixa repetida várias vezes, aguardando que a pessoa venha mais uma vez desempenhar-se. E só aos poucos as conexões vão se desfazendo, os fios vão se rompendo, as luzes vão se apagando, a pessoa vai morrendo devagar para o mundo depois de ter morrido para si mesma. Se existem duas mortes, uma íntima e individual, uma outra pública e coletiva, duas mortes que operam em ritmos diferentes.

Talvez Fernando tenha ouvido, antes de mim e noutro lugar, minha mãe reclamando do cheiro do esmalte, do cheiro do peixe e do preço das coisas. Talvez ela tenha brigado com ele por deixar as canecas de café espalhadas pela casa e talvez ele tenha brigado com ela por ter se esquecido de dar um recado. Talvez ele e ela tenham acordado várias manhãs sem se falar. Talvez ele tenha colocado o dedo de leve no pescoço de Suzana para sentir o sangue pulsando ali. Talvez ela tenha desenhado com os dedos as sobrancelhas dele.

Um dia ele falou com ela do passado. Das armas. De Brasília, de Pequim, do Rio das Araras. Um dia ela falou com ele do passado. Do carneirinho da canção. Das bonecas de sua mãe. Do gato que morreu estatelado na calçada.

Um dia ela contou de seu pai e do Texas, mas só uma parte. Um dia ele contou da moça que conheceu às margens do Araguaia, mas só uma parte. Ela disse a ele que rompeu relações com o pai e se mudou para o estado vizinho. Sem um tostão. Um puto. Ele disse a ela que gostou dessa moça que lutou do lado dele na guerrilha. Fernando sabia construir armas. Suzana sabia abandonar homens. Fernando tinha estado na Academia Militar de Pequim. Suzana tinha doado as bonecas de sua mãe para um orfanato presbiteriano em Dallas. Fernando tinha uma carta da guerrilheira com quem viveu, guardada quase que por acaso. Suzana tinha uma foto de sua mãe. E um dia eles se deitaram na cama com suas memórias, com seus fantasmas, com suas mortes.

Você promete? perguntou Suzana, antes de pegar no sono.

Prometo o quê? ele quis saber.

Promete primeiro e eu digo depois.

Prometo.

E ela olhou para o relógio digital na mesa de cabeceira e viu que já era o dia seguinte.

Agora me diz o que eu prometi, pediu Fernando.

Mas ela não disse. Afundou a cabeça entre dois travesseiros e fabricou uma toca com a coberta e se aninhou no sono, na felicidade do sono, na inconsequência do sono. Como Fernando nunca soube, portanto, o que prometeu, teve que improvisar o cumprimento da promessa.

Por isso, e por isso apenas, ele continuou morando nos Estados Unidos ao se separar da minha mãe, a um estado de distância, onde poderia pegar o carro e vencer seis horas de estrada e, por exemplo, registrar como sua filha a filha que não era sua. Por isso ele atendeu todas as vezes que ela chamou e virou as costas todas as vezes que ela pediu. Por isso: por ela.

E quando ela voltou para o Brasil ele continuou imóvel, conforme a promessa que havia improvisado e, de improviso, cumpria.

Imóvel, como um imóvel, uma casa, algo que você não arranca do chão e leva por aí, no bolso, na mala, na mochila. Uma estrutura construída sobre a terra, pesada, vedada, protegida das intempéries, preparada para o frio extremo e para o calor extremo, capaz de fechar portas e janelas ao vento, capaz de fechar cortinas aos olhos dos passantes.

Caso algum dia ela resolvesse voltar.

E cada dia que ela não resolvia voltar se somava ao anterior como um calendário que você vai compondo, ao qual se acrescentam folhas, e de repente ele pegou aquilo tudo e guardou na caixa de madeira de vinho El Coto de Rioja e colocou no fundo do armário e achou que já não fazia diferença. Ficar, ir embora. Já não era mais uma questão.

Falaram de uma vaga como segurança na Biblioteca Pública de Denver, bem no centro da cidade, aquele lugar limpo e arejado e funcional onde livros se guardavam nas estantes, catalogados, e aonde as pessoas iam como romeiros informais consultar ou pegar emprestados esses livros. Um segurança numa biblioteca lhe pareceu uma coisa meio pro forma. Uma posição no mundo só para constar. Achava que bibliotecas não deviam ser lugares violentos, requerendo segurança. Não imaginava frequentadores de bibliotecas como ladrões ou como agressores ou arruaceiros.

Na entrada, uma inscrição com as palavras de Jorge Luis Borges:

Sempre imaginei o paraíso como uma espécie de biblioteca. Não devia haver necessidade de seguranças num lugar de estatuto paradisíaco.

Mas nunca se sabe.

A vaga estava lá. E Fernando estava lá para se candidatar à vaga.

Anos depois, enquanto o Saab 1985 vermelho convalescia numa oficina mecânica perto de Starkville, no condado de Las Animas, quase na fronteira do Colorado com o Novo México, Fernando me fez uma pergunta. Você quer que eu te conte as coisas que não contei à sua mãe? ele perguntou.

Fiquei calada e escutei. Durante um bom tempo, só escutei. Nunca perguntei ao Fernando por que ele resolveu falar, naquela noite. Se por acaso resolveu indenizar minha mãe pelo que não tinha contado a ela contando-o à filha dela.

De todo modo, a história que não havia sido contada começava no primeiro aniversário da Guerrilha do Araguaia.

* * *

A sucuri é a segunda maior serpente do mundo. Na Amazônia, ela pode chegar a oito metros de comprimento. As pessoas têm medo da sucuri, mas ela evita os seres humanos. Quase sempre.

Sucuri foi o nome da operação que o Exército colocou em prática em abril de 1973. Era um plano de informações. Que não previa ações ofensivas contra o inimigo, mas apenas a espionagem, recorrendo aos mesmos métodos de aproximação da população usados pelos guerrilheiros.

Nos três meses precedentes, a ditadura tinha matado quatro membros do Comitê Central do PC do B nas cidades. O desmantelamento do Partido impedia que novos militantes fossem enviados ao Pará a fim de reforçar os quadros da guerrilha.

Mesmo assim, o clima entre os guerrilheiros era de euforia, e eles queriam acreditar que os moradores da região iam se unir à luta armada. O trabalho de massas continuava. A Comissão Militar da guerrilha conseguiu, depois de vários meses, retomar contato com o Destacamento C, o mais atingido pela anterior Operação Papagaio. Após um remanejamento e sob as ordens de novo comandante, o Destacamento C ocupou, em sua primeira ação de força, a fazenda de um grileiro e dedo-duro. Levaram um valor igual ao que o fazendeiro havia obtido com os bens dos guerrilheiros vendidos por ele após a ocupação de um dos acampamentos pelas forças da repressão.

Espalhava-se a ameaça de represália aos moradores que haviam traído os combatentes. Um desses moradores, Pedro Mineiro, foi executado em sua própria casa, depois de julgado pelo Tribunal Militar Revolucionário. Preso, julgado e executado foi também o camponês Osmar.

Durante um tempo, Chico até recobrou as esperanças. Era difícil não se empolgar com as comemorações do primeiro aniversário do movimento armado. Os moradores ajudavam com roupas, sapatos, comida. Ouviam a rádio Tirana junto com os guerrilheiros, compareciam a reuniões, e por fim onze deles se uniram à luta.

Mas o medo que você já teve um dia é uma vacina às avessas: predispõe à doença. Fica ali, de tocaia. Como uma sucuri pronta para devorar a presa, pronta para agarrá-la e arrastá-la até o rio, ou então, científica, pronta para apertá-la um pouco mais a cada vez que a presa expirar, até que já não seja mais possível encher de ar os pulmões. A sucuri não tem veneno. Sua arma é a opressão.

Na Operação Sucuri, havia ordens expressas para que não ocorresse nenhuma ação militar. A não ser que dessem a sorte de encontrar Osvaldão, o gigante negro que comandava o Destacamento B. A rede de informação ofídia no Araguaia transubstanciou capitães, tenentes, soldados e sargentos em roceiros, borrifadores em combate à malária, bodegueiros, vistoriadores do Incra, vendedores ambulantes. Mas não era fácil. Durou cinco meses a operação que deveria durar dois.

Em setembro, um grupo de guerrilheiros do Destacamento A chegou ao raiar do dia a um Posto da Polícia Militar do Pará na Transamazônica. Cercaram o posto. Depois de gritar, sem sucesso, para que os soldados se rendessem, o comandante do destacamento ordenou que os guerrilheiros atirassem. Puseram fogo no posto. Os soldados saíram e se entregaram. Depois de interrogados, de cuecas, e ameaçados de morte, os soldados foram expulsos. O butim da guerrilha somava armas, munição, fardas e calçados, e o sucesso da ação foi narrado num comunicado aos moradores da área.

Manuela estava entre os guerrilheiros que participaram da ação. Chico deveria ter estado.

Mas houve um momento, antes do raiar do dia, enquanto os comunistas do Araguaia se dirigiam à que seria sua primeira ação militar bem-sucedida, em que Chico parou. Os outros continuaram, imbuídos de seus pés e mãos e olhos e armas, e Chico parou.

Ninguém viu. O céu ainda estava escuro no inverno que mal terminava, no coração da mata que Transamazônicas sangravam desajeitadas, sem talento, sem convicção. Um tanto constrangidas, sabendo talvez que nunca viriam a ser mais do que esboço de estrada.

Chico pensou em Pequim. Pensou na ópera, e nas máscaras pintadas no rosto dos cantores/atores. Pensou em suas vozes difíceis, que faziam curvas diferentes das vozes dos cantores que ele conhecia. Pensou em seus tradutores chineses, pensou nas muitas noites e nos muitos dias que havia passado naquele país tão distante, depois não pensou mais.

Viu Manuela ao longe, de costas, o cabelo amarrado, o cabelo que um dia tinha pertencido a uma estudante carioca versada em letras, esmaltes de unha e xampus especiais e que hoje era versada em enxada, facão e armas. Ela estava bem mais magra do que quando chegara ali, naquele dia de chuva, mais um dia de chuva, um dia a menos. Por baixo da sua pele machucada e maltratada havia novos músculos para novos talentos. E Chico pensou em como os corpos das pessoas eram adaptáveis: ao frio, ao calor, ao medo, à fome, ao trabalho. À enxada, ao facão, às armas.

Ele viu Manuela ao longe e foi a última vez que viu Manuela.

Ela continuou e ele continuou parado. Podia ter dado um passo, seria o primeiro passo de seus passos seguintes, acompanhando o grupo que se dirigia ao Posto da Polícia Militar. Era só levantar o pé e colocar um pouco adiante, isso era um passo e não requeria treinamento nem filosofia e ele sabia fazer isso desde criança. Guerrilheiros comunistas davam passos, ditadores davam passos, homens e mulheres e velhos e crianças no Brasil, na China, na Albânia e nos Estados Unidos, em Cuba e na Bolívia e até mesmo na Lua davam passos. Mas ele continuou parado, por um tempo que era uma estrada de asfalto roto cortando sua vida de leste a oeste. Do Atlântico até a fronteira do estado do Acre com o Peru. E quanto mais tempo ele continuava parado, Chico sabia, com mais força selava uma decisão imprevista e, lá dentro de seu estômago, mais vergonhosa do que a vergonhosa incompetência dos militares para acabar com aquele grupo que, por A mais B, já devia ter sido dizimado havia muito tempo. Eles, os guerrilheiros, eram fantasmas andando no meio da mata, acreditando (acreditando?) no outro mundo. Eles já eram fantasmas. Se ele chegasse mais uma vez bem perto de Manuela, talvez conseguisse enxergar através de sua pele. Era possível que ela já estivesse perdendo a posse de seu corpo, como estava óbvio que, mais dia, menos dia, acabaria perdendo. Como ele. Como todos eles.

Chico não chegou mais uma vez bem perto de Manuela. Mateiro habilidoso que era, encontrou seu caminho para fora dali, para longe dali, para longe de tudo, de si mesmo inclusive.

No mês seguinte começaria a matança. A caçada aos guerrilheiros e o extermínio de todos eles. Os militares dariam cabo de um por um. Talvez Chico suspeitasse. Talvez ele só duvidasse. Temesse. Desistisse.

Chico não ouviu os gritos do comandante do destacamento, naquela manhã. Não viu os soldados saírem do posto em meio ao fogo e à fumaça. Não os viu sendo expulsos. Chico não viu Manuela procurando por ele, e o resto do destacamento, mas principalmente Manuela procurando por ele. Manuela, que foi sua companheira durante um tempo tão inoportuno, e que seria uma das desaparecidas da Guerrilha do Araguaia, uma suposta ossada entre as supostas ossadas enterradas em local desconhecido, um ponto de interrogação na história oficial do país durante as décadas por vir. Como imaginar tudo isso? Nunca mais Chico soube dela – e era com um sabor amargo que escutava aquela música, quando escutava. *Como é que você não me diz quando é que você me faz feliz? Onde é que vamos morar?* Era com um sabor amargo que ele guardava a certeza da incerteza dela: Chico teria sido preso? Morto? Teria desertado? (Não, Chico não teria desertado. Chico não era desses. Ele havia passado pela Academia Militar de Pequim. Ele era bom com as armas. E com outras coisas.)

Chico esteve em Goiânia, de passagem. Despediu-se da mãe. E foi embora, e nunca mais colocou os pés no Brasil. Seis meses depois, estava servindo cervejas na pressão num pub londrino, e cantando em voz alta quando sentia vontade de cantar em voz alta, e desafinando, se fosse o caso.

Vista del mundo

June tinha dito que devíamos procurar Isabel em Albuquerque. Houve uma época em que a casinha da minha mãe na San Pablo Street se tornou uma confluência de mundos, amigos de várias origens, alunos de espanhol, alunos de inglês, alunos de português, o *Spanglish* reverberando em meio aos discos de Noel Rosa e Milton Nascimento por entre as paredes da casa dos anos cinquenta – *vintage*, diriam hoje. Minha mãe seria dona de uma casa *vintage*, elevada à categoria de charme pelo passar do tempo. Sem que ela tivesse feito esforço nenhum, sem que ela tivesse nem mesmo pago pelo privilégio. June ia à casa da minha mãe às vezes, nessa época, com seu inglês de rainha e sua real consorte. Isabel, conforme June disse, também ia à casa da minha mãe nessa época. Faziam festas quase que diárias.

Um pouco antes de você nascer, June explicou. Isabel era aluna de inglês da Suzana. Acabou ficando amiga. Uma garota recém-chegada de

Porto Rico que estudava teatro. E sabia preparar mojitos e margueritas.

Então ela é atriz?

Não, June me respondeu.

E não disse mais nada a respeito. As coisas que June não dizia eram uma outra espécie de tagarelice. Se ela se calava de maneira veemente, você não tinha espaço para perguntar.

Depois Isabel voltou a Porto Rico por alguns anos, ela continuou. Mas já faz tempo que está de novo em Albuquerque e vai gostar de conhecer você. Vocês.

Passamos a noite num motel escolhido pelo preço. Carlos decretou que era *muy bueno. Very good*. A piscina aquecida era um pouco maior do que a do motel perto de Starkville, e as toalhas mais brancas. O quarto era mais bem iluminado, as colchas mais novas e as aquarelas nas paredes menos desbotadas.

Naquela noite, não conversamos. Fernando ligou a tevê num dos canais mexicanos e ficou assistindo a um jogo de futebol e Carlos anotou os Melhores Momentos do Dia num caderno que Florence tinha lhe dado de presente. Com seus garranchos tremidos, escreveu *the motel in Albuquerque is very good*. E me mostrou, satisfeito. Tinha trazido da recepção mais alguns folhetos turísticos e leu para mim que Albuquerque tinha MAIS DE TREZENTOS ANOS DE HISTÓRIA. Perguntou se podíamos no dia seguinte comprar tesoura e cola, porque ele queria recortar aquelas coisas e colar no caderno.

Baixei os olhos para o folheto. *A área de Albuquerque foi habitada por índios americanos por centenas de anos. A cidade dos dias de hoje foi fundada em 1706, quando o governador Francisco Cuervo y Valdez escreveu uma carta ao Duque de Albuquerque relatando que havia encontrado uma vila nas margens do Rio Grande. Desde então, a cidade — nomeada a partir do duque — cresceu de um pequeno povoado a uma rica metrópole com mais de oitocentas mil pessoas. Experimente a cidade onde o povo e a cultura estão*

Fernando?

Hm.

O que quer dizer esta palavra aqui?

Ele olhou para o folheto. Quer dizer enredado.

O que quer dizer enredado?

Imagina uma rede, uma trama. Uma coisa enredada é como se fosse uma rede. Uma trama. Um emaranhado.

E ele demonstrou entrelaçando os dedos uns nos outros, sem tirar os olhos da televisão.

Enredado era uma palavra gozada. Testei-a dentro da boca, num sussurro. ENNNRRREDADO. Fazia uma curva curiosa.

Experimente a cidade onde o povo e a cultura estão enredados no tecido do tempo e da história.

Pensei naquilo. Seria possível o povo e a cultura de algum lugar não estarem enredados no tecido do tempo e da história? Haveria povo e cultura sem tempo e sem história? Mas era só um folheto turístico e os folhetos turísticos, eu ia aprendendo, não haviam sido escritos para fazer sentido. As palavras tinham que ser bonitas. E as fotos. As fotos do folheto turístico de Albuquerque eram bonitas e mostravam ora um cacho de pimentas secas penduradas numa varanda, ora um casal andando de bicicleta numa trilha nas montanhas (os capacetes não tinham espelhos retrovisores), ora muitos balões de ar quente no céu azul da CAPITAL MUNDIAL DOS BALÕES DE AR QUENTE.

Carlos terminou de anotar no caderno o que precisava anotar, guardou seus folhetos, desligou o abajur da mesa de cabeceira e adormeceu com a cabeça apoiada no meu ombro. Fechei os olhos. Dormi embalada pelo volume baixo da tevê em que um locutor mexicano narrava os lances do jogo com mais rapidez do que eu tinha condições de entender. Antes de fechar os olhos, vi as paredes trocando de cor.

Fernando segurava a minha mão enquanto andávamos pelo jardim seco de Florence e víamos as esculturas sem prestar atenção. Foi a única vez que eu e ele andamos de mãos dadas. Ele segurava a minha mão pequena e fria com a sua mão grande e fria e para um olhar mais apressado, que deixasse a genética de lado, podíamos ser filha e pai.

Depois entramos no ateliê de Florence e havia ali o espírito das coisas em processo. O ateliê era um lugar no gerúndio, um lugar de coisas saindo de seu estado bruto, sendo fabricadas, se tornando. Florence guardava num grande armário de portas de vidro os utilitários que vendia e nos convidou a olhar e deu a mim e ao Carlos um naco de barro para cada um.

Para vocês fazerem alguma coisa. Qualquer coisa vale.

Carlos olhou sério para o barro disforme em sua mão, franziu as sobrancelhas e começou a amassá-lo e a repuxá-lo a fim de ver, talvez, se alguma coisa saía dali por conta própria. Uma escultura espontânea. Eu peguei o meu pedaço e comecei a enrolar entre as mãos. Tudo o que minha criatividade era capaz de produzir, naquele momento, era uma bola. Alguma coisa desobrigada de ter ângulos, um artefato redondo. Um globo de terra.

Florence?

Sim?

Era June quem havia falado. Florence, ela repetiu, nós precisamos conversar com você.

Conversar? Florence sorriu e sacudiu um pouco a cabeça e o cabelo se sacudiu sobre a sua cabeça. Está bem, vamos conversar.

E ela puxou uma cadeira e June e Fernando se sentaram num sofá coberto com uma velha manta de lá. Eu e Carlos continuamos de pé, um pouco afastados, remexendo nos nacos de barro entre nossas mãos. Florence se sentou na cadeira, o corpo um pouco inclinado para a frente, os dedos das mãos entrelaçados no colo.

O seu trabalho é muito bonito, June continuou, elegendo-se a porta-voz do grupo, e pigarreou. Muito bonito. Mas não foi por causa dele que nós viemos até aqui.

Florence escutava muito atenta e interessada, como se estivessem prestes a lhe dar uma explicação abrangente sobre o efeito borboleta ou a antimatéria.

Nós viemos até aqui por causa daquela mocinha que está ali de pé.

Os rostos se voltaram em minha direção e eu, sem saber o que fazer, não fiz nada e continuei enrolando minha bola de barro.

Há um certo tempo, no fim da década de setenta, a mãe da Vanja veio morar no Novo México, June continuou. Ela era bem jovem. Se chamava Suzana. Tinha vindo do Brasil ainda criança com o pai, depois que a mãe morreu.

June falava devagar. Com o sorriso um pouco esvaziado ante a falta de sentido daquelas palavras, Florence escutava.

Algum tempo depois, alguns anos depois, a Suzana se casou com o Fernando (e June colocou a mão sobre o ombro dele, mas logo tirou, como se tivesse cometido alguma indiscrição, uma gafe). E depois eles se separaram. E ela teve uma relação rápida com um outro homem. O seu filho Daniel.

Não durou muito. Não sei se ela e você teriam chegado a se conhecer. Provavelmente não.

Florence estava compreendendo. Demonstrava fazendo que sim com a cabeça. Uma relação com o seu filho Daniel. Rápida. Não durou muito.

Isso foi quando? ela perguntou.

Eles passaram um tempo juntos no começo de 1987, Fernando respondeu. Faz quase catorze anos. Ela morava em Albuquerque, na San Pablo Street Northeast.

Fiquei surpresa com a matemática instantânea do Fernando. Mas talvez ele soubesse aqueles números de cor. Talvez ele soubesse aquela (outra) história de cor, talento compulsório que preferiria não ter.

É, disse Florence, Daniel morava em Albuquerque nessa época. Mas eu só me lembro de ter conhecido uma namorada dele, desse período em Albuquerque, e ela não se chamava Suzana. Era Ashley. Ou Audrey. Ou Abigail. Uma coisa assim, uma coisa com A. Já faz um bom tempo.

Florence compreendia, mas não compreendia tudo.

Nós viemos até aqui, June continuou, porque durante essa época que passou com o seu filho a Suzana ficou grávida, e no fim do ano teve uma filha.

E todos olharam de novo para *aquela mocinha que estava ali de pé*, modelo-vivo, cobaia, espécime bizarro dotado de alguma deformação ou de alguma chocante disfunção visível a quem se desse ao trabalho de olhar.

A pergunta óbvia, na qual eu (disfuncional) nunca tinha pensado: o que garantia que eu era mesmo filha do filho daquela senhora? Para se ter certeza dessas coisas, só recorrendo ao frio protocolo da ciência. O que garantia que aquela história toda – Suzana, Albuquerque, romances de curta duração – era para valer? Podíamos ser uma bizarra trupe de golpistas experimentais, tentando ver se convencíamos inocentes senhoras norte-americanas com nossos sotaques heterogêneos e nossos contos do vigário envolvendo paternidades suspeitas e sumiços anormais.

Mas ela se levantou e se aproximou de mim. Fincou os olhos nos meus. Esqueceu o que quer que fosse que costumava dançar no espaço aéreo pouco acima de sua testa. Esqueceu Fernando, June e Carlos.

É mesmo? ela me perguntou.

Claro que Florence procurava Daniel em mim. E eu me perguntei se eu também o teria visto na foto do meu passaporte caso o tivesse conhecido, se o teria reencontrado na amálgama genética do meu rosto, ou se a minha mãe não precisava dos homens nem para isso. Nem para emprestar um pouquinho de biotipo à sua filha. Eu me perguntei o que Florence estaria vendo ali, em seu transe diante daquele oráculo mudo de treze anos de idade, amassando uma bola de argila nas mãos.

E me senti estranha. Eu, que sempre havia recusado os projetos irrealizáveis (como o horizonte diante do mar de Copacabana), tinha me dedicado a um que era quase isso, um pai-conto-da--carochinha, um pai espalhado por mim mesma em vários lugares potenciais do globo – todos eles *depois* do horizonte do mar de Copacabana. Claro: entre todos os lugares potenciais eu não havia listado a Costa do Marfim. E no entanto havia menos mar e céu entre o Rio de Janeiro e a Costa do Marfim do que entre o Rio de Janeiro e o oeste dos Estados Unidos da América.

Se eu tivesse partido de barco da praia de Copacabana, bastaria rumar em linha reta para nordeste e aportaria na Costa do Marfim. Se chegasse bem às escondidas, pirateando a mim mesma, não precisaria nem mesmo de um passaporte, não precisaria nem comparecer ao guichê de um oficial de imigração e passar pelo chato protocolo das fronteiras.

Pouco importava se aquela mulher ia acreditar em mim (em nós) ou não. Podia nos enxotar dali, e que nunca mais voltássemos!, aproveitadores que éramos. E eu daria de ombros com a desenvoltura com que Fernando dava de ombros, a desenvoltura do hábito. E iria embora dali e nunca mais voltaria e ela que pensasse de mim (de nós) o que quisesse. Eu me sentia como se tivesse entrado na sala errada do cinema e em vez de me deparar com um empolgante filme de ficção científica topasse com uma comédia romântica ou um musical. Detesto musicais. Eu definitivamente não sabia mais o que estava fazendo ali: no ateliê de Florence, na Redondo Road, em Jemez Springs, no Novo México, nos Estados Unidos, no hemisfério norte, não sabia mais sequer o que estava fazendo na terceira bola de argila orbitando em torno do sol. Tudo era estranho e eu me sentia estranha com aquela mulher olhando para mim através dos globos leitosos dos seus olhos.

E ela olhou e olhou e continuou olhando. Até encontrar o que procurava.

Quando acordei no motel em Albuquerque, estava sozinha. Havia um bilhete escrito com os garranchos do Carlos, em português (ditado, com certeza), na mesa de cabeceira. FOMOS TOMAR O CAFÉ DA MAHNÁ. FICAMOS CON PENA DE TE ACORDAR. VAMOS TRAZER UN BAGEL. Eu tinha ido dormir de cabelo molhado (onde estava a minha mãe para dizer que eu não devia fazer isso? Em que recanto das minhas lembranças?) e um ovo de cabelo havia crescido na minha cabeça, do lado direito. Molhei na pia. Passei a escova. Não adiantou. Deixei para lá e saí do quarto em busca de Fernando e Carlos.

Os dois tomavam café em silêncio, fitando a imensa televisão fincada na parede diante de um grupo de mesinhas esquálidas. Um político falava sobre política na tevê.

Você está com um ovo na cabeça, Fernando disse. Carlos riu.

Rodamos por Albuquerque com cerimônia. Fernando estava mais calado do que o habitual. Carlos anotava nomes de ruas e qualquer informação que lhe parecesse relevante em seu caderno. Fomos até a San Pablo Street Northeast e fiquei estarrecida ao ver que da casa onde havia morado até os dois anos de idade eu não reconhecia nada. Nada. Zero.

Ela era feito uma fatia de terra removida do chão. Tinha na frente um jardim seco igual ao jardim seco de Florence, mas em menor escala. Tinha uma árvore seca. Descemos do carro e vagamos pelo quarteirão sem nenhum objetivo, fazia menos frio ali mas ainda assim fazia frio e eu puxei por cima das orelhas o gorro que tinha colocado para curar meu cabelo amassado.

Não havia reconhecimento em mim. Fernando podia estar me contando uma grande mentira, me mostrando uma casa escolhida a esmo, e não faria diferença.

Mas havia reconhecimento nele e não era fácil e eu sabia.

Será que as casas se purgam de seus ex-moradores com os moradores novos? Ou será que existem várias camadas de fantasmas em sua memória, como papéis de parede superpostos? Será que as casas têm memória?

Mesmo que não tenham, homens adultos têm. Fernando havia morado naquela casa com a minha mãe durante seis anos. Fernando havia dormido naquela casa com a minha mãe durante seis anos, e acordado, e olhado para a árvore seca quando ela estava seca no inverno e quando estava verde no verão e em todos os estágios intermediários. Ele havia pisado naqueles cômodos durante dois mil dias. Ele havia aberto a porta ao chegar do trabalho (que eu me dava conta de que não sabia qual era). Havia fechado a porta ao sair para o trabalho. E um dia havia fechado a porta pela última vez e não tinha sido ao sair para o trabalho.

Você quer tirar uma foto? Fernando perguntou.

Eu disse que sim e ele pegou a máquina fotográfica velha no casaco e disse para eu e o Carlos ficarmos parados em frente à casa (ao revelar o filme, veríamos que eu tinha saído de olhos fechados na foto, e o Carlos com a boca meio torta, porque ia dizer alguma coisa ou passar a língua sobre os lábios ressecados).

Depois voltamos para o carro e eu dei por encerrada a expedição à minha primeira infância.

Não havia mais muita coisa a fazer além de ir embora. Colocar aqueles eventos no bolso e ir embora. Comemorar o dia de Ação de Graças com June e seus cachorros senis no dia seguinte, e passar os dois dias seguintes ao dia seguinte hospedados com ela no Camino Sin Nombre, e escalar de novo o mapa com o nariz apontado para o norte e a esperança de que o Saab não resolvesse quebrar outra vez.

Sim, claro, havia as Próximas Etapas, e elas eram assustadoramente trabalhosas. Eu raspava a minha alma em busca de energia, determinação, coragem, paciência e outros sentimentos honrosos. Outros sentimentos-continência, desses que compõem o tutano dos heróis.

Mas o dia seguinte e o seguinte ao seguinte e o seguinte ao seguinte ao seguinte ainda tinham o que dizer, antes que o resto da minha vida, pela segunda vez pós-novo-mexicana, começasse. Ainda havia pelo menos um vestígio localizável da minha mãe em Albuquerque, e esse vestígio se chamava Isabel e íamos encontrá-la no fim da tarde.

Isabel apareceu com um quimono branco, desses usados pelas pessoas que praticam artes marciais, amarrado com uma faixa verde, que eu não sabia se a colocava lá embaixo na hierarquia, lá no topo ou mais ou menos. Por cima ela usava um casaco impermeável muito grosso e também muito verde.

Entrou no café onde tínhamos marcado o encontro, desviou-se das pessoas até chegar à nossa mesa e me abraçou. Tínhamos quase a mesma altura. Depois ela apertou a mão do Fernando com um vigor de artes marciais e a mão do Carlos com o mesmo vigor de artes marciais.

Ela se sentou e olhou para a imensa fatia de torta de chocolate que o Carlos comia e perguntou o que é? Posso provar? E o Carlos cortou com o garfo um pedaço (pequeno) e o guiou até sua boca e achou graça. Ele, um menino, dando de comer a uma mulher adulta. Chocolate com recheio de chocolate e cobertura de chocolate e pedaços de chocolate se espalhavam negligentes em volta da boca do menino salvadorenho, mas sumiram educados dentro da boca da moça porto-riquenha.

E ela disse sempre saio do treino morrendo de fome.

E Carlos perguntou se ela lutava judô ou karatê e ela disse aikido. E ele disse que nunca tinha ouvido falar. E ela disse depois eu te derrubo para você ver como é.

Conversamos. Ela e Fernando tomaram duas xícaras de café cada um. O dele sem açúcar. O dela com uma colher cheia. Falamos de lugares: Rio de Janeiro, Albuquerque, Colorado, Porto Rico. Falamos de pessoas: eu, minha mãe, minha tia de criação, Carlos (não falamos do Fernando).

Você queria ser atriz? eu disse/perguntei, num dado momento.

Queria, ela disse. Antes. Mas acabou não acontecendo.

Mas você estudou teatro. June contou para a gente.

Durante um tempo. Vim para a universidade.

Então se você não é atriz é o quê?

E ela virou a palma das mãos para cima e inclinou a cabeça para o lado, num gesto de pantomima.

Não sou nada.

Mas Carlos exclamou, da sua tribuna, que ela lutava aikido (embora ele não soubesse o que era aikido, mas soava japonês e sério). Quem luta aikido e usa uma roupa de aikido não pode não ser nada – era o argumento dele.

E ela riu e disse queria que vocês fossem jantar lá em casa. Vocês vão? Comprei algumas coisas que a gente costumava fazer na casa da sua mãe – na sua casa (e ela se virou para mim e depois para o Fernando, que podíamos em graus distintos e com motivos distintos reivindicar aquele possessivo). Pelos velhos tempos.

Os velhos tempos eram somente isso, tempos velhos. Tempos idos, passados, outroras, antigamentes. Na época em que estava na moda Isabel e os amigos da minha mãe se reunirem na casinha da San Pablo Street, Fernando já não fazia parte da vida de Suzana, e eu ainda não fazia. Então os velhos tempos eram, ainda por cima, folhas de outro calendário – e pensei mais uma vez no butim do papa Gregório (confesso que a história meio que me obcecava: a onipotência de um homem do clero que rouba *tempo*).

Mas estávamos ali, estávamos com Isabel e jantar com ela parecia um imperativo dos novos tempos, mais do que uma homenagem aos velhos. E de todo modo ela era encantadora. E de todo modo não tínhamos mais nada para fazer.

Seguimos seu carro do café em Nob Hill até a Vista del Mundo, onde ela morava, numa casa imensa e cem por cento contrária a qualquer coisa que eu teria imaginado para ela e sua roupa de aikido e sua faixa verde e seu casaco verde, e seus punhos finos e seus cabelos grossos. Era imensa e se parecia muito com aquelas casas de confeitaria que eu tinha visto nos subúrbios ricos de Denver. Tinha uma cor plácida num tom pastel indefinido e dois ciprestes espetados um de cada lado da porta, como soldadinhos verdes de corpo cônico.

Isabel preparou mojitos para Fernando e para ela e pude ver o alívio dele em ter o copo onde pôr as mãos, e em ter o rum para colocar garganta abaixo. O dia não tinha sido fácil.

Você mora numa casa bem grande, ele comentou – e talvez tivesse acrescentado mentalmente: para alguém que não é nada.

Não é minha.

E ela foi até o aparelho de som colocar música. Eu não entendia por que os adultos precisavam dar tantas respostas pela metade. Talvez fosse uma prática madura e civilizada e eu devesse ir me acostumando com ela desde já. No mês seguinte eu faria catorze anos. Catorze anos já eram no mínimo um nariz no mundo adulto. E era preciso desaprender todos os códigos que eu havia aprendido e abrir espaço para os outros. A curiosidade, por exemplo: a curiosidade era um dom das crianças. Os adultos a mantinham acorrentada. Nos adultos, a curiosidade dava a pata, pegava a bolinha e fingia de morta.

Olhei ao redor para aquela casa maior do que Isabel. Tudo era mais do que o necessário. Porque, ao que parecia, ela morava sozinha. Havia chão demais, janelas demais, móveis demais para uma pessoa só.

Jantaríamos na Vista del Mundo com Isabel, que tinha se fechado no quarto, no andar de cima, e voltado dez minutos depois com uma roupa à paisana e o cabelo molhado e solto, o cabelo que era muito encaracolado e ficava no ar exatamente como as perguntas que nós todos queríamos fazer sobre a sua vida (presente, passada) mas não sabíamos se devíamos fazer. E antes do soar da meia-noite estaríamos em nossas camas no motel e Carlos teria escrito todas as etapas do processo do jantar na casa de Isabel em seu caderno, começo, meio e fim. E eu teria tomado banho e tomado também cuidado para enxugar melhor o cabelo dessa vez, e Fernando talvez fosse acompanhar locutores mexicanos de futebol na tevê.

Mas Carlos e sua torta de chocolate conspiravam, em silêncio, dentro do estômago dele.

Planejavam uma pequena guerrilha. Uma minirrevolução.

Ele começou a reclamar de enjoo às 19h23, depois de comer tortilla chips com guacamole. Às 20h11, começou a vomitar tortilla chips com guacamole (junto com a torta de chocolate, principal conspiradora).

Por causa daqueles alimentos indóceis, inquietos, e da vontade do estômago do Carlos em devolvê-los como quem devolve uma mercadoria com defeito, acabamos passando a noite na casa de Isabel. De madrugada, depois que Carlos, febril, já tinha vomitado o suficiente e ido dormir, e eu ido dormir também, para sonhar com a memória das casas que eu não guardava na memória, senti sede e me levantei semissonâmbula para buscar um copo d'água. A porta do quarto ao lado, onde Fernando deveria estar dormindo, estava entreaberta. Olhei pela fresta e mesmo na penumbra cinza--chumbo pude ver que a cama estava intocada e o quarto, vazio.

Achei que talvez não devesse mais ir buscar água na cozinha. Podia beber da pia do banheiro, lá no andar de cima mesmo. Era um pouco incerto o que eu perigava acabar encontrando numa casa de portas entreabertas e homens desaparecidos. Mas como a minha curiosidade ainda não era um labrador bem treinado, desci assim mesmo. E em silêncio e devagar.

Na curva da escada, espichei o pescoço para a sala e lá estavam os dois, dançando ao som de uma música quase inaudível, seus corpos tão colados que tive vergonha por estar vendo o que não deveria estar vendo. E voltei para o quarto antes que pudesse ver qualquer outra coisa, como um beijo, como a mão de um descendo pelas costas do outro, como a abertura de uma blusa sendo desbravada por cinco dedos e um seio sendo encontrado por esses dedos. Não, eu não queria ver nada disso. E não, eu não queria pensar em nada disso, mas infelizmente com o pensamento é diferente, a liberdade que ele tem tolhe a nossa, o pensamento faz o que quer.

O QUE FLORENCE NÃO ENCONTROU EM MIM: 1) Os olhos do meu pai. Não podia ter encontrado, porque, como mais tarde vim a saber, ele tinha olhos claros, e eu tenho olhos escuros. 2) Motivos para desconfiança. Enquanto ela me olhava, eu pensei nas múmias e em como os egípcios antigos retiravam o cérebro dos mortos enfiando um gancho pelo nariz, no processo de mumificação. Talvez ela estivesse tentando, naqueles instantes silenciosos que duraram alguns segundos que duraram algumas décadas, não extrair partes minhas (coragem? descaramento?) para posterior embalsamamento, mas sim aquilatar a minha confiabilidade através de um método pessoal seu. Que não envolvia ganchos introduzidos nas narinas, mas um par de olhos igualmente penetrantes e uma prolongada ausência de palavras. 3) A neta que ela havia pedido aos céus.

O QUE FLORENCE SIM ENCONTROU EM MIM: 1) A neta que ela não havia pedido aos céus – e as surpresas, acho, têm seu charme. São uma espécie de bônus. Por exemplo: você compra dois pacotes de biscoito no supermercado e na hora de pagar descobre que naquele dia estão com uma promoção, leve dois pacotes daquele biscoito e ganhe de brinde um saquinho de limonada instantânea. 2) Algum mérito invisível e indizível que, entre as duas opções ao seu dispor (me colocar em contato com Daniel, não me colocar em contato com Daniel), fez com que ela escolhesse a primeira. 3) Um traço qualquer no sorriso, um milímetro de curvatura do lábio, que ela processaria ao longo dos anos seguintes até um dia me dizer, definitiva: você tem o sorriso do seu pai.

Canis latrans

Dos coiotes já foi dito que fazem, assim como os corvos, a mediação entre a vida e a morte. São personagens comuns na mitologia. Mamíferos extremamente adaptáveis, os *Canis latrans* são onívoros e comem quase tudo o que estiver disponível: coelhos, ratos, esquilos, também pássaros, rãs, cobras, também insetos, frutas, também carniça. Nas áreas urbanas, lixo das latas de lixo, comida de cachorro. Podem atacar pequenos animais domésticos. Em geral se alimentam à noite. Na natureza, vivem de seis a oito anos. Espalham-se desde o Panamá até o Canadá e o Alasca, por toda a América Central e quase toda a América do Norte. Às vezes morrem de fome, às vezes de doenças, presos em armadilhas, vítimas de outros bichos, atropelados. Alguns coiotes vivem sozinhos, outros formam casais, outros formam matilhas – compostas em geral pelo casal, seus filhotes e os filhotes do ano anterior que ainda não se separaram dos pais. Coiotes com outro nome científico fazem passar imigrantes ilegais do México aos Estados Unidos.

Na mitologia, o coiote tem poder de transformação. Às vezes é um ladrão, como entre os índios hopis. Às vezes é o criador da humanidade, como entre os navajos, ou da terra, como entre os miwok. Às vezes é o criador da morte, como entre os chinook. Era uma vez: Coiote e Águia viajaram ao mundo dos mortos para trazer de volta suas esposas, numa época em que a morte não existia para os homens, só para os animais. Ao trazer os mortos dentro de uma caixa, porém, Coiote não resistiu e abriu-a para ver sua esposa. Com isso, libertou os espíritos dos mortos e a própria morte. Que passou a fazer parte da vida dos homens, por assim dizer.

Quando voltamos à casa de June em Santa Fé, depois de nossas duas noites em Albuquerque, vi o casal de coiotes no leito seco do rio. June me chamou de madrugada e foi me mostrar, de longe.

No leito seco do rio também havia carcaças de carros abandonados. Aqui, ali, numa espécie de ferro-velho tímido e sazonal. Na cheia, o rio voltaria à vida e as carcaças dos carros abandonados esfriariam sob a água nova, mais um ano, mais um rio, o mesmo rio, um rio diferente. Depois o rio secaria outra vez e elas voltariam a ficar expostas, um pouco mais feias, um pouco mais velhas, um pouco mais carcaças.

* * *

Ao longo dos anos, as minhas curiosidades sobre a vida de Isabel foram satisfeitas. Não é que ela tivesse segredos. Ela era parecida com a minha mãe, nesse sentido: respondia a todas as perguntas. Só que, ao contrário da minha mãe, falava quase sempre apenas o indispensável. Ela era um pouco marcial e quieta. Parecia capaz de bater em alguém que viesse importuná-la na rua. Mas nunca entraria numa discussão desnecessária.

Durante o jantar em sua casa em Albuquerque, ela nos contou uma parte da história. A segunda parte. Eu recomporia sua vida de trás para a frente, como quem persegue pegadas ao contrário – partindo da chegada em busca do ponto de partida.

Então você mora aqui sozinha? eu perguntei, e se estivesse cometendo alguma indiscrição já era, mas todo mundo perdoa isso nas crianças, e aos treze anos eu ainda estava na confortável posição de poder escolher em que situações queria ser considerada criança e em que situações não, e me comportar de acordo (alguma vantagem *tinha* que haver em ter treze anos).

Moro, ela disse, e as tortillas chips estalavam dentro da sua boca. Mas esta casa é do meu ex-marido. Ele tem outra.

Outra casa?

Outra casa, outra mulher, outra família.

Em Albuquerque? Fernando perguntou, tomando coragem.

Em Seattle. Ele e a mulher têm um filho de cinco anos de idade.

E vocês estão separados faz tempo?

Três anos.

Estávamos sentados à mesa, quatro pessoas numa mesa de oito lugares, e eu olhava para as cadeiras vazias, que pareciam tristes convidados mudos e de olhos baixos. Metade da mesa tinha vida, a outra metade não. Metade da mesa tinha pratos, copos, talheres, tortilla chips, a outra metade não.

Três anos, Fernando repetiu.

As suas contas não estão erradas, não. O meu ex-marido sempre foi um cara proativo.

E no momento em que Fernando talvez fosse pedir desculpas em seu nome e no meu, por termos esse cacoete talvez brasileiro demais de querer saber detalhes demais da vida dos outros, ela deu uma gargalhada boa, sincera, e nós três sorrimos e só então o Carlos perguntou o que queria dizer proativo.

É o seguinte, disse Isabel. Proativo é o cara que primeiro escolhe sua nova mulher, depois tem um filho com ela, depois arranja um emprego e uma casa numa outra cidade, e só então se separa da antiga mulher.

Ah. Entendi.

E Carlos sorriu, sentindo-se hábil por perceber toda a lógica daquela sequência. Que era uma sequência impecável. E lógica.

E Isabel sorriu também, e eu procurei traços daquele amargor que às vezes acompanha as piadas que as pessoas adultas fazem sobre si mesmas, e não encontrei.

Mas a casa não é minha. Um dia eu vou embora daqui, desta casa, desta cidade. Um dia acho que volto para Porto Rico. Volto para lá de novo. O problema é que quando vou embora de Porto Rico quero voltar para lá, e quando volto para lá quero ir embora de novo.

E Carlos disse que um dia também voltava para El Salvador, mas só para visitar, porque agora ele era um *coloradoan*. Ou um *coloradan*. Ou fosse o que fosse. Ele era um NATIVO não nativo. Com montanhas ao fundo.

Eu vim para cá aos dezoito anos, disse Isabel. Depois voltei para San Juan. Depois vim de novo. Comecei a trabalhar, conheci meu marido, parei de trabalhar.

Ela deu de ombros.

Não sinto nenhum orgulho disso. Tenho trinta e quatro anos e a minha vida o que é, a minha vida não é nada. Moro na casa dele, vivo com o dinheiro que ele me dá. Mas eu vou fazer alguma coisa em breve. Vou fazer alguma coisa. Em breve.

Ser atriz? eu disse.

E ela olhou para mim com afeto nos olhos e esmagou entre os dentes mais tortilla chips com guacamole.

É, quem sabe. Ser atriz.

Depois ela tirou o ramo de hortelã de dentro de seu copo e comeu e disse ao Fernando vou preparar mais dois mojitos. A comida deve estar quase pronta.

E quando ela se levantou e foi até a cozinha Fernando virou o rosto e continuou olhando e eu pensei no personagem tão comum no Rio de Janeiro, o homem-olhando-para-a-bunda-da-mulher-que-passa. Minha mãe dizia que nós mulheres também devíamos olhar para a bunda dos homens que passavam. O que me deixava bem à vontade para fazer as minhas estatísticas penianas (esquerda/direita) na praia. Embora eu fosse fazê-las de todo modo. Mas Fernando continuou olhando depois que a bunda e sua dona e sua saia comprida e colorida viraram de perfil na bancada, e quando se abaixaram em seguida para pegar hortelã na gaveta da geladeira, e quando os braços da dona da bunda escalaram o armário alto para pegar copos limpos e derrubaram dentro da pia o conteúdo dos copos sujos e ligaram o triturador que fez *rrrrwmnwww* e colocaram os copos sujos dentro do lava-louça.

Naquele instante Fernando esqueceu que eu e o Carlos existíamos, e eu olhei para o Carlos em busca de solidariedade. E foi então que o Carlos disse que estava se sentindo meio esquisito. Meio enjoado.

Depois da Sucuri, veio a Operação Marajoara. Começou em outubro daquele mesmo ano de 1973. Eram, no início, trezentos militares, todos à paisana, para combater um número de guerrilheiros estimado por eles em 63 (o número real a essa altura era 56).

Em uma semana, a Operação Marajoara já tinha reduzido esse número em quatro guerrilheiros, surpreendidos todos juntos enquanto arrumavam pedaços da carne de dois porcos recém-abatidos para carregar. Entre os mortos, o líder do Destacamento A.

Naqueles primeiros dias, a Operação Marajoara prendeu muitos moradores, enlouqueceu alguns de tanto bater neles, queimou casas e roças. Quem se negava a colaborar apanhava. Às vezes era colocado de cabeça para baixo dentro de tambores cheios d'água. Enfiado dentro de um daqueles *buracos do Vietnã*, com arame farpado por cima. Pendurado pelos testículos.

A estação das chuvas não intimidaria a operação. Ela continuaria outubro adentro, e viraria o ano no Araguaia.

Logo em seguida caiu mais uma guerrilheira, que, ao que consta, era bonita, e foi primeiro baleada na perna, e um militar se aproximou dela e perguntou qual o seu nome. E ela respondeu guerrilheira não tem nome, seu filho da puta. Eu luto pela liberdade. E todos os militares da patrulha, quase dez, descarregaram as armas na guerrilheira bonita. Quer liberdade, então toma.

E logo em seguida caiu mais um guerrilheiro, encontrado pelos companheiros sem a cabeça – troféu enviado à base do Exército em Xambioá.

A moda começou a pegar e outro combatente, outro Chico (mas esse o Queixada), foi decapitado depois de morto pelos militares.

As coisas já não iam tão bem para os comunistas. Várias ações seguintes foram malsucedidas. Armamentos e munição continuavam sendo insuficientes e muitos guerrilheiros já não tinham nem o que calçar. Havia as baixas e havia também as fugas.

No início, os guerrilheiros não tinham ideia da dimensão daquela nova ofensiva militar. Aos poucos começaram a ter. E foi assim que passaram o Natal de 1973, seis anos depois do início da implantação da guerrilha. Ouvindo helicópteros lá em cima. Em outros encontros com as forças da repressão, ainda naquele mesmo mês de dezembro, outros caíram, inclusive membros da Comissão Militar da guerrilha. Entre eles, seu comandante-geral, Maurício Grabois, conhecido pelo codinome de Mário.

De nada disso Fernando, que já não era mais Chico, sabia, agora já longe dali. Mais tarde ele ficou sabendo. Mais tarde.

Mais tarde ele ficou sabendo que os guerrilheiros que permaneceram na área se dispersavam e depois se reagrupavam, tentando despistar o inimigo. Mas nada disso adiantou.

Ficou sabendo também que um relatório do Centro de Informações do Exército, encabeçado pela palavra SECRETO – palavra que norteava e ia continuar norteando muito do que acontecia naqueles dias, naquela região – dizia: *Uma interrupção da operação "MARAJOARA", antes da destruição total do inimigo, poderá possibilitar seu ressurgimento, ainda com maior vigor e experiência. Poderá ainda proporcionar-lhe a comprovação da viabilidade, no BRASIL, da guerrilha rural como instrumento de luta para a conquista do Poder.*

No começo de 1974, um membro da Comissão Militar da guerrilha fugiu da mata – Ângelo Arroyo, ex-comandante de Chico e Manuela no Destacamento A. (Fugiu, mas insistia, já em São Paulo, na continuação da luta no Araguaia. Menos de três anos depois, foi encontrado e assassinado pela repressão.) Outros membros do Comitê Central, como João Amazonas e Elza Monerat, havia muito que já não se encontravam mais na região do Bico do Papagaio.

Em fevereiro, caiu Osvaldão, outro que estava lá desde o início, que era o guerreiro imortal dos comunistas. Seu corpo foi exibido nos povoados. O imortal estava morto. Derrubado por um mateiro. Depois, deram sumiço no cadáver. Os militares arrematariam o extermínio da guerrilha com a Operação Limpeza – esse nome simples, cristalino, honesto, que dispensa interpretações.

O general Geisel, que tomava posse naquele mesmo mês, afirmou que aquela coisa toda de matar era ruim, mas não tinha como ser diferente.

E com isso seguiam-se as mortes. E foram se seguindo. Era preciso matar e depois matar as mortes, digamos. Era preciso matar a história. Matar a memória e alguma consciência com gordurinhas inconvenientes.

Todos foram morrendo, um a um. Alguns simplesmente desapareceram, mas desaparecimento era um dos codinomes da morte. Era outro jeito de pronunciá-la.

Entre os desaparecidos, entre aqueles que não se sabia como morreram e onde foram enterrados, estava Manuela. Ela um dia foi presa ao visitar, em busca de comida, uma camponesa que costumava colaborar com os guerrilheiros. Faminta, magra, doente, descalça, coberta de feridas e picadas de insetos, Manuela passou a noite na casa da camponesa e acordou cercada pelos militares. Depois disso, não se soube mais dela. Seus pais envelheceram e morreram sem saber dela.

A última guerrilheira foi executada em outubro. Walkíria Afonso Costa, a Walk, estava presa em Xambioá.

Para limpar as próprias pegadas, os militares resolveram desenterrar na mata os cadáveres comprometedores e queimá-los, o que faziam usando pneus e gasolina.

Na história extraoficial e confidencial do país, tinha acabado a guerrilha do Araguaia.

Em São Paulo, Ângelo Arroyo continuava acreditando na estratégia da luta armada no campo. No segundo semestre de 1976, viajou por outras regiões do país, em busca de cenários alternativos à luta. Esteve em Rondônia, no Acre, em Mato Grosso, percorreu o rio Amazonas. Morreu metralhado dois dias depois do encontro do Comitê Central do partido em São Paulo, em dezembro daquele ano, encontro durante o qual continuou defendendo a guerrilha.

Florence olhava para mim. *Nós viemos até aqui porque durante essa época que passou com o seu filho a Suzana ficou grávida, e no fim do ano teve uma filha.*

Florence olhava para mim enquanto June, cujas palavras ainda ressoavam, e Fernando, cuja expectativa ressoava mais alto ainda, olhavam para

Florence e Carlos amassava seu bolinho de argila como se tentasse pulverizá-lo. Transmutar terra em fogos de artifício. Ver luzes bailarinas pipocando no ar e ricocheteando em esculturas e utilitários de cerâmica.

Florence olhava para mim e perguntou, é mesmo?

Vi seus olhos se mexendo devagar dentro das órbitas. Vi as rugas em torno de seus olhos se prolongando e se aprofundando, gênese de uma nova cadeia de montanhas numa animação acelerada. Placas instáveis se moviam lá dentro, num coração subterrâneo, em meio a frios lençóis d'água e corredores de lava quente.

Por que vocês não me telefonaram antes?

Nós telefonamos, June respondeu. Faz algumas semanas.

Eu devo ter ouvido o recado, ouço os recados pelo menos uma vez por semana. Mas eu sou um pouco distraída. Acho que já disse isso. E se não disse vocês devem ter notado. Essas coisas se notam.

Não tem importância, June falou.

Não, disse Florence. Não tem.

E então, já de posse daquilo de que precisava, ela se virou para June e Fernando e falou obrigada por terem vindo e por confiarem em mim.

Havia uma inversão naquilo, pensei. Era ela quem estava confiando em nós. Era ela quem estava nos fazendo o favor de ser crédula num mundo de descrentes e desconfiados. Era ela quem estava aceitando uma pequenina reforma que lhe traziam na bandeja, junto com chá e biscoitos de gengibre. Um novo membro da família num pratinho, para usar como substituto do açúcar.

Mas Florence segurou minhas mãos, e era como se as nossas mãos também trocassem palavras, olhares, completassem ligações telefônicas extraviadas. Minhas mãos pequenas e magras e ásperas. Suas mãos longas e nodosas, com manchas senis.

Isabel nos acompanhava quando voltamos à casa de June, depois daquela noite na Vista del Mundo, em Albuquerque. Eu comemoraria pela primeira vez na vida o dia de Ação de Graças, sem saber muito bem o que é que estava comemorando, junto com meu amigo salvadorenho, o ex-marido brasileiro da minha mãe, a antiga amiga *made in UK* da minha mãe, a ex-aluna porto-riquenha da minha mãe e os dois mastiffs velhos. E no dia seguinte, já aclimatados, nós pareceríamos a reedição de uma comunidade hippie. E na madrugada eu veria o casal de coiotes, os *Canis latrans*, que eram magros e tinham pernas compridas e orelhas pontudas. Aquele casal notívago e arredio.

No domingo, voltaríamos para o norte. Para o Colorado, para Lakewood e a casa na Jay Street. Isabel pegaria um ônibus de volta a Albuquerque. E as coisas silenciosamente migrariam para fora de si mesmas e virariam outras coisas, como ninguém imaginava que virariam. As coisas se autorrevolucionariam, devagar e quietas.

Dizem que a cada sete anos as células no seu corpo já foram todas trocadas, de modo que você continua sendo a mesma pessoa mas, a nível celular, passou a ser outra, se computar os dois extremos. A ideia soa estranha, porque as células não se modificam todas de uma vez, então não é que ao fim dos tais sete anos o corpo tenha se reciclado. Mas ao mesmo tempo é.

As coisas que eu esperava que fossem acontecer não aconteceram, as coisas que eu não esperava que fossem acontecer aconteceram e algumas das coisas sobre as quais eu nunca tinha pensado – como viajar à Costa do Marfim – pensaram em mim com independência e proficiência.

Mas naqueles dias na casa de June em Santa Fé nós rimos juntos, e contamos histórias de outros tempos e de outros lugares, e cantamos músicas de outros tempos e de outros lugares (e do nosso tempo e dos nossos lugares) e vimos fotografias. Certa manhã fomos visitar o santuário de Chimayo, onde a mulher disse *me puedes ayudar un dólar por favor* (eu dei a ela o dólar e Fernando deu de ombros, perguntando em voz baixa como é que eu podia cair naquilo mas o dinheiro era meu e o problema também).

À noite, enquanto os coiotes circulavam lá fora, Fernando e Isabel desapareceram juntos no quarto onde ela dormia, e ninguém fez perguntas, e todo mundo achou que assim estava bem. E éramos tão diferentes uns dos outros que as diferenças se anulavam, éramos uma grande uniformidade multiforme.

Na segunda-feira depois do feriado, Fernando foi para o trabalho na Biblioteca Pública de Denver. Eu fui para a escola. Carlos foi para a escola.

De tarde, Fernando tinha uma faxina para fazer.

Jay Street

Se Fernando gostaria que Isabel tivesse se mudado para o Colorado eu não sei. Se Isabel gostaria de ter se mudado para o Colorado – ou que Fernando tivesse se mudado para o Novo México, ou de ter se mudado com ele para Porto Rico ou para algum outro lugar no mundo – eu não sei.

Nada disso aconteceu, porque às vezes as coisas são respostas erradas às perguntas que fazemos, ou respostas certas às perguntas que esquecemos de fazer. Não há nenhuma sabedoria nisso. Não foi minha avó quem me ensinou (até porque uma delas eu não conheci, e à outra me apresentei quase aos catorze anos de idade, e sem ouvidos para ensinamentos que, aliás, ela nunca pareceu interessada em transmitir).

Talvez tenham faltado sugestões de parte a parte, entre Fernando e Isabel. Demonstrações que sim. Como a água que você não serve à pessoa que você não sabe estar com sede, e a água que a pessoa que está com sede não pede porque não quer incomodar, cheia de cerimônia pequeno-burguesa (isso, por incrível que pareça, foi minha mãe quem me ensinou, complementando: só tenha vergonha do que é vergonhoso, porque do contrário está perdendo seu tempo. A timidez é uma coisa desnecessária e chata).

Um dia, anos depois, estive outra vez de visita à casa de June em Santa Fé. Os dois cachorros já tinham morrido. Ela morava sozinha com seu piano e suas caveiras o'keeffeanas penduradas nas paredes. Coiotes perambulavam lá fora. Talvez fossem os mesmos. Ou talvez aqueles tivessem morrido atropelados ou com uma bala de espingarda e outros coiotes tivessem vindo substituí-los.

Nesse dia, June me falou de Isabel.

Ela não se tornou atriz como queria, June disse. Mas você viu como era bonita. Meio baixinha, talvez, mas bonita. Quando conheceu o marido, trabalhava num clube desses, em Albuquerque, trabalhava como dançarina. Você sabe, tirando a roupa.

Eu não sabia.

Foi lá que ela conheceu o marido, e daí ele quis que ela parasse de trabalhar, e comprou aquela casa, e se casou com ela, e o resto da história você conhece.

Será que ela se arrepende?

Do quê?

De ter parado de trabalhar no clube.

Ela podia ter voltado.

Imaginei (como não imaginar?) Isabel dançando no clube em Albuquerque. Tirando a roupa, peça após peça, de acordo com uma hierarquia de desconstrução do pudor que determinava qual peça tinha que vir primeiro, qual tinha que vir por último. O corpo se enroscando em si mesmo e se exibindo em pequenas doses, até estar inteiramente exibido (quando então o show acabava, porque a graça estava no processo, do contrário ela já podia ter subido ao palco nua em pelo). Devia ser bonito. Não me admirava que o sujeito que se tornou seu marido a tivesse visto lá e querido levar para casa, para sessões privê e grátis. Que ele tivesse querido roubar do resto da humanidade o privilégio.

Imaginei-o corroído de ciúmes pelo passado de Isabel, enquanto ela aceitava com naturalidade o fato de ele ter sido e talvez ainda continuar sendo frequentador de clubes de striptease. Será que a nova mulher dele, lá em Seattle, também era uma ex-stripper?

Mas durante quatro noites Fernando esteve com Isabel numa mesma cama. Durante quatro noites ele enterrou os dedos maltratados nos cabelos dela, escuros, muito ondulados – seus cabelos escuros como as conchas azul corvo e como os corvos azul concha – e enterrou os dedos nos quadris dela, seus quadris escuros, duas grandes ondas que se alinhavam com outras ondas que se alinhavam com outras ondas numa ondulação em abismo que num dado momento chegaria (chegaria?) à sua essência. À sua essência ondulada, escura, azulada, marinha, ancestral como o mar do Colorado e jovem como uma jovem stripper dançando numa boate em Albuquerque, a CAPITAL MUNDIAL DOS BALÕES DE AR QUENTE.

Durante quatro noites ela riu com ele numa mesma cama, dormiu com ele numa mesma cama, ficou acordada com ele numa mesma cama, enterrou os dedos nos seus braços e nas suas costas e sonhou com um casal de coiotes lá fora e sonhou com a época em que o mar do Colorado cobria tudo aquilo e não havia coiotes passeando em Santa Fé porque Santa Fé ficava debaixo d'água. Feito as carcaças dos carros abandonados na cheia do rio. Sonhou com peixes entrando pelas janelas das futuras carcaças dos carros na cheia do futuro rio. Sonhou com moluscos mesozoicos evoluindo no fundo do mar do Colorado e sonhando por sua vez com os futuros museus de ciências. Mas possivelmente esses foram os meus sonhos, e os sonhos de Isabel naquelas noites são da ordem do secreto, do imponderável. Têm a mesma condição dos moluscos mesozoicos que sumiram do planeta sem deixar rastros, marcas, fósseis, recados.

Talvez aquelas quatro noites tivessem bastado, e qualquer outra coisa fosse supérflua. E ela e Fernando fossem desmanchar as quatro noites com a varinha de condão às avessas do hábito caso elas se transformassem em quatro meses ou em quatro anos ou em múltiplos disso.

Talvez aquelas quatro noites não tivessem bastado, e qualquer filosofia amorosa dessas com rasgos de desprendimento seja cem por cento estúpida quando colocada em prática. É bonito dizer certas coisas. Vivê-las, nem tanto.

Sei que Isabel e Fernando se falaram algumas vezes por telefone. Também sei que pouco depois daquele feriado ela voltou para Porto Rico. Voltou para ficar, conforme nos disse que talvez acontecesse. Ela e Fernando se falaram algumas vezes por telefone, até que não se falaram mais, como um barulho que vai sumindo ao longe e você não sabe precisar o momento exato em que deixou de escutá-lo.

Fiz catorze anos em dezembro, naquele ano. Fiz quinze anos doze meses depois. E fui fazendo outras idades, dezesseis, dezessete, é incrível a lógica que esse processo segue. Dezoito. Etc.

Voltei ao Rio de Janeiro uma vez, para visitar Elisa. As coisas estavam iguais e diferentes. Sete anos tinham se passado desde que eu havia ido embora e talvez as células da cidade já tivessem todas sido substituídas por outras. A cidade era mesma e não. A cidade era outra e não.

Havia moluscos de outras gerações no fundo do mar, na praia de Copacabana. Não sei quanto tempo um molusco vive. Ali deviam estar os netos e os bisnetos dos moluscos da minha infância, talvez. De todo modo, éramos amigos. Amigos que nunca tinham se visto pessoalmente. Amigos por tabela, como em redes sociais virtuais.

Havia crianças pequenas construindo castelos de areia na areia. Havia suas mães. Dependendo do ponto, turistas. Dependendo do ponto, prostitutas.

Os corpos continuavam correndo musculosos ou flácidos ou velhos ou moços sob o sol. Os homens continuavam usando sungas apertadas. Não todos.

A casa de Fernando na Jay Street em Lakewood, Colorado, foi aos poucos se tornando a minha casa também, por hábito. Por costume. Por osmose. Nunca nos perguntamos se eu iria embora ou se continuaria ali, depois de todos os Esclarecimentos. Terminei o ano escolar como uma aluna mais ou menos e ingressei no ano escolar seguinte. E ao ano escolar seguinte, que também terminei mais ou menos, seguiu-se o seguinte. Só havia uma matéria em que as minhas notas eram honestamente boas e meus agradecimentos, ao fim de tudo, foram para a bibliotecária da Biblioteca Pública de Denver, que no entanto não estava presente para ficar com os olhos marejados e receber os aplausos de outras pessoas com outros olhos marejados. Depois que eu fiz os agradecimentos me senti meio ridícula. Como um político em campanha, querendo dizer coisas bonitas que as pessoas fossem gostar de ouvir. Era um golpe baixo. Mas já estava feito. De vez em quando eu ia nadar com o Fernando, e voltávamos para casa com cheiro de cloro e pendurávamos no banheiro toalhas com cheiro de cloro. Num belo dia eu me dei conta de que não tinha importância o país onde eu estava. A cidade onde eu estava. Outras coisas tinham importância. Não essas.

Não me esqueci mais do aniversário do Fernando e no ano seguinte ao da camisa amarela eu e Carlos compramos para ele uma garrafa de cerveja belga (com a ajuda de um adulto coadjuvante) e depois, no ano seguinte, compramos um perfume na loja preferida do Carlos – uma loja de skatistas, embora ele, Carlos, não fosse skatista. Nem estivesse predestinado a se tornar um.

Os invernos se tornaram os meus invernos e os verões, os meus verões. Por assim dizer. As estações intermediárias deixaram de ser luxo e viraram, no outono, o ancinho que eu pego para varrer as folhas da frente de casa e, na primavera, a flor que desponta, na frente de casa, onde eu podia jurar que nada teria sobrevivido às nevascas – e a flor desponta mesmo que eu não cuide do jardim (eu não cuido do jardim). Coisas minhas, cotidianas, costumeiras, como dormir ou limpar as orelhas. Quando comecei a dirigir, levei Carlos para descer o rio em Boulder, com a bunda encaixada em câmaras de pneus.

Faz pouco mais de um ano que enterrei Fernando. Ele morreu sem guerrilhas, sem esposas nem amantes. Na sua memória deslizavam rios como o Araguaia e o Tâmisa e os rios encachoeirados das montanhas do Colorado, e o Rio Grande, que atravessa Albuquerque. Mas as águas dos rios encontram seu caminho até o mar, e aquilo que era doce torna-se salgado e povoado por bichos marinhos e suas conchas.

O corpo do Fernando um dia pifou enquanto ele tomava um café, numa pausa do trabalho, e foi tudo. O corpo rateou como o motor de um Saab velho, e foi rateando, e ele então começou a morrer e continuou morrendo até morrer oficialmente, o que me foi comunicado por um médico indiano de olhos baixos e lábios condolentes e apertados.

Eu o enterrei, um ex-Fernando debaixo do chão. E junto com ele, sua ex-vida, suas ex-memórias que, por mais que ele compartilhasse, seriam sempre e somente suas e de mais ninguém. O que ele sentiu na mata, o que ele sentiu no pub londrino, o que ele sentiu deslizando sobre a lama congelada em Pequim. O que ele sentiu ao abraçar Manuela/Joana, Suzana, Isabel. O que ele sentiu antes e depois desses abraços. Ao desertar dessas mulheres ou ao ser desertado por elas (*desertar: tornar deserto, abandonar, despovoar; deixar de estar presente; desistir, renunciar*). O que pensou, o que planejou e não fez, o que prometeu e não cumpriu, o que fez sem ter planejado antes, o que não desejou e conquistou assim mesmo.

* * *

Faz pouco mais de um ano que os pais de Carlos se mudaram para a Flórida, onde Dolores, a filha maldita e fujona, se transformou na filha pródiga e guarda carros gêmeos com placas DELE (XO) e DELA (XO) em sua garagem de Tallahassee. O sexo dos carros cria um certo constrangimento, imagino, quando o pai da Dolores e seu bigode precisam sair de casa e só o DELA está na garagem. A mãe não dirige, portanto está poupada de um dissabor equivalente. Mas talvez o pai já tenha comprado um carro para ele também e mandado colocar uma placa comum, com letras e números sem significados.

Faz pouco mais de um ano que Carlos atravessou a rua e veio morar nesta casa, porque ele havia prometido não sair do Colorado e não sair de perto de mim. Então, quando seus pais arrumaram a mudança e venderam móveis e compraram passagens aéreas só de ida para a Flórida, ele pegou suas coisas e as transferiu para cá. Ele é um garoto alto, de dezoito anos. Ainda não voltou a El Salvador. De vez em quando ele me pede o carro emprestado e vai para as montanhas, como qualquer nativo, íntimo da terra, do clima e suas guinadas, lamentando muito a avalanche que matou os dois turistas incautos (mas quem mandou? Com as Rochosas não se brinca, ele sempre diz). Eu me mudei para o quarto que era do Fernando e o Carlos se mudou para o quarto que era meu e com essas pequenas migrações ficamos.

Nick, o meu colega de escola, uma vez me beijou numa festa. Achei esquisito durante os primeiros quinze segundos, depois não achei mais, as línguas se acomodaram, os dentes pararam de ser obstáculos, e logo em seguida eu não pensava mais em línguas nem em dentes, mas em outras coisas, com uma urgência súbita e meio desesperadora.

No ano seguinte, a família dele se mudou, ele saiu da escola, em algum ponto reconsiderou suas ideias, recentemente me falaram que se tornou fuzileiro naval.

Nessa mesma festa em que Nick me beijou, eu estava um pouco antes com um grupo de outras três garotas da escola, e num dado momento fui ajeitar o colar de uma delas, e disse acho que fica melhor assim, e ela me disse não preciso de informações da América do Sul.

Lembro-me da sua voz. Doce e precisa, sua voz-bisturi. *I don't need information from South America.*

Quando Nick me beijou, eu quase perguntei que gosto tinha um beijo da América do Sul. Mas essa era uma pergunta deserta. Era uma pergunta de passagem, na qual eu optava por não residir.

Estive algumas vezes com meu pai. Fui a Abidjan visitá-lo e à sua família. Falamos um pouco da minha mãe. Não muito. Além de mim, os dois não chegaram a ter muitas coisas em comum. Nem mesmo memórias. Nem mesmo, eu acho, saudades. Fui visitá-lo duas vezes com passagens aéreas que Fernando pagou para mim, fiquei quinze dias nas duas ocasiões. Daniel esteve aqui no ano passado, numa viagem de trabalho aos Estados Unidos. Saímos para beber umas cervejas. Foi bom sair para beber umas cervejas com o meu pai. Eu paguei a conta. Ele não queria deixar mas eu insisti e disse que ele era meu convidado e acrescentei, com uma falta de originalidade possivelmente tocante, que da próxima vez jantaríamos num restaurante francês e então. De tempos em tempos nos falamos por telefone. De tempos em tempos falo com Florence por telefone. Da última vez pude ouvir o aspirador de pó de Norbert do outro lado da linha. Nunca mais tive notícias de Isabel.

Tenho um trabalho na Biblioteca Pública de Denver – mas não como segurança. Vendi o Saab 1985 do Fernando e comprei um Saab quinze anos mais novo porque não entendo de carros e pelo menos Saab era um nome familiar. Não sou de falar muito. Mas as pessoas já não ouvem sotaque quando eu falo.

Se eu teria conduzido as coisas de modo diferente, se isso coubesse a mim – se eu tivesse escolhas, se eu dispusesse de um baralho de vidas e pudesse escolher uma carta em vez da outra? Teria, sim. Não todas as coisas. Teria mudado apenas um detalhe, um só, no final de uma cena ocorrida mais de duas décadas atrás.

Seria assim a minha versão:

As estradas são uma aventura em dezembro, nessa parte do mundo. Fernando dirigiu muito mais do que as seis horas habituais entre uma cidade e outra na autoestrada I-25. Havia neve e gelo na pista. Ele deixou para trás Trinidad, ex-residência de Bat Masterson e, naqueles dias, capital mundial da mudança de sexo graças às operações realizadas pelo famoso dr. Stanley Biber. Passou pela placa que dizia BEM-VINDO AO NOVO MÉXICO TERRA DE ENCANTAMENTO e viu pelo retrovisor a placa que dizia BEM-VINDO AO COLORIDO COLORADO, as montanhas Sangre de Cristo a oeste.

Quando ele chegou em Albuquerque eu dormia em meu quarto algum sono de sonhos pequenos, sonhos do tamanho da minha vida, que cabiam (que cabia) com sobras entre as grades do berço. Ele e minha mãe se abraçaram com a força da falta que sentiam um do outro. Ele foi para a cama com ela. Mais tarde, no meio da madrugada, ela preparou uma sopa e os dois se sentaram diante da árvore de Natal para tomar a sopa.

Era para ser definitivo. E foi.

1ª EDIÇÃO [2014] 1 reimpressão

ESTA OBRA FOI COMPOSTA PELA ABREU'S SYSTEM EM ADOBE GARAMOND
E IMPRESSA EM OFSETE PELA LIS GRÁFICA SOBRE PAPEL PÓLEN SOFT DA
SUZANO S.A. PARA A EDITORA SCHWARCZ EM AGOSTO DE 2021

A marca FSC® é a garantia de que a madeira utilizada na fabricação do papel deste livro provém de florestas que foram gerenciadas de maneira ambientalmente correta, socialmente justa e economicamente viável, além de outras fontes de origem controlada.